CME

3rd Edition

Tex

MW01000228

4

简体版

CHINESE
Made Easy
轻松学汉语

Yamin Ma
Xinying Li

Joint Publishing (H.K.) Co., Ltd.
三联书店（香港）有限公司

Chinese Made Easy (*Textbook 4*) *(Simplified Character Version)*

Yamin Ma, Xinying Li

Editor	Shang Xiaomeng
Art design	Arthur Y. Wang, Yamin Ma
Cover design	Arthur Y. Wang, Zhong Wenjun
Graphic design	Arthur Y. Wang, Zhong Wenjun, Wu Guanman
Typeset	Chen Xianying

Published by
JOINT PUBLISHING (H.K.) CO., LTD.
20/F., North Point Industrial Building,
499 King's Road, North Point, Hong Kong

Distributed by
SUP PUBLISHING LOGISTICS (H.K.) LTD.
3/F., 36 Ting Lai Road, Tai Po, N.T., Hong Kong

First published August 2003
Second edition, first impression, November 2006
Third edition, first impression, July 2015
Third edition, second impression, March 2017

Copyright ©2003, 2006, 2015 Joint Publishing (H.K.) Co., Ltd.

Photo credits
(Below photo-numbers only ©2015 Microfotos)
pp.4, 6, 21, 29, 30, 42, 52, 53, 59, 60, 61, 65, 66, 70, 73, 82, 89, 90, 94, 97, 101, 102, 104, 106, 109, 118, 119, 121, 129, 130, 133, 137, 142.

All rights reserved. No part of this book may be reproduced, stored in a retrieval system, or transmitted, in any form or by any means, electronic, mechanical, photocopying, recording or otherwise, without prior permission in writing from the publisher.

E-mail: publish@jointpublishing.com

轻松学汉语 （课本四）（简体版）

编　　著	马亚敏　李欣颖
责任编辑	尚小萌
美术策划	王　宇　马亚敏
封面设计	王　宇　钟文君
版式设计	王　宇　钟文君　吴冠曼
排　　版	陈先英
出　　版	三联书店（香港）有限公司 香港北角英皇道 499 号北角工业大厦 20 楼
发　　行	香港联合书刊物流有限公司 香港新界大埔汀丽路 36 号 3 字楼
印　　刷	中华商务彩色印刷有限公司 香港新界大埔汀丽路 36 号 14 字楼
版　　次	2003 年 8 月香港第一版第一次印刷 2006 年 11 月香港第二版第一次印刷 2015 年 7 月香港第三版第一次印刷 2017 年 3 月香港第三版第二次印刷
规　　格	大 16 开（210 × 280mm）156 面
国际书号	ISBN 978-962-04-3461-7

© 2003, 2006, 2015 三联书店（香港）有限公司

本书部分照片 © 2015 微图

- 《轻松学汉语》系列（第三版）是一套专门为汉语作为外语／第二语言学习者编写的国际汉语教材，主要适合小学高年级学生、中学生使用，同时也适合大学生使用。

- 本套教材旨在帮助学生奠定扎实的汉语基础；培养学生在现实生活中运用准确、得体的语言，有逻辑、有条理地表达思想和观点。这个目标是通过语言、话题和文化的自然结合，从词汇、语法等汉语知识的学习及听、说、读、写四项语言交际技能的训练两个方面来达到的。

- 本套教材遵循汉语的内在规律。其教学体系的设计是开放式的，教师可以采用多种教学方法，包括交际法和任务教学法。

- 本套教材共七册，分为两个阶段：第一册至第四册是第一阶段，第五册至第七册是第二阶段。第一册至第四册课本和练习册是分开的，而第五册至第七册课本和练习册合并为一本。

- 本套教材包括：课本、练习册、教师用书、词卡、图卡、补充练习、阅读材料和电子教学资源。

课程设计

教材内容

- 课本综合培养学生的听、说、读、写技能，提高他们的汉语表达能力和学习兴趣。

- 练习册是配合课本编写的，侧重学生阅读和写作能力的培养。其中的阅读短文也可以用作写作范文。

- 教师用书为教师提供了具体的教学建议、课本和练习册的练习答案以及单元测试卷。

- 阅读材料题材丰富、原汁原味，旨在培养学生的语感，加深学生对中国社会和中国文化的了解。

INTRODUCTION

- The third edition of "Chinese Made Easy" is written for primary 5 or 6 students and secondary school and university students who are learning Chinese as a foreign/second language.

- The primary goal of the 3rd edition is to help students establish a solid foundation of vocabulary, grammar, knowledge of Chinese and communication skills through natural and graduate integration of language, content and culture. The simultaneous development of listening, speaking, reading and writing is especially emphasized. The aim is to help students develop skills to communicate in Chinese in authentic contexts and express their viewpoints appropriately, precisely, logically and coherently.

- The unique characteristic of the 3rd edition is that the programme allows the teacher to use a combination of various effective teaching approaches, including the Communicative Approach and the task-based approach, while taking into account the Chinese language system.

- The 3rd edition consists of seven books and in two stages. The first stage consists of books 1 through 4 (the textbook and the workbook are separate), and the second stage consists of books 5 through 7 (the textbook and the workbook are combined).

- The "Chinese Made Easy" series includes Textbook, Workbook, Teacher's book, word cards, picture cards, additional exercises, reading materials and digital resources.

DESIGN OF THE SERIES

The series includes

- The textbook is designed to help students develop the four language skills simultaneously: listening, speaking, reading and writing. The textbook plays an important role in helping students develop their communication skills and enhance their interest in learning Chinese.

- In order to support the textbook, the workbook is designed to help the students develop their reading and writing skills. Engaging reading passages also serve as exemplar essays.

- The Teacher's Book provides suggestions on how to use the series, answers to exercises and end of unit tests.

- Authentic reading materials that cover a wide range of subjects help the students develop a feel for Chinese, while deepening their understanding of contemporary China and the Chinese culture.

教材特色

- 考虑到社会的发展、汉语学习者的需求以及教学方法的变化，本套教材对第二版内容做了更新和优化。
  - ◇ 课文的主题是参考 IGCSE 考试、AP 考试、IB 考试等最新考试大纲的相关要求而定的。课文题材更加贴近学生生活。课文体裁更加丰富多样。
  - ◇ 生词的选择参考了 IGCSE 考试、IB 考试及 HSK 等考试大纲的词汇表。所选生词使用频率高、组词能力强，且更符合学生的交际及应试需求。此外还吸收了部分由社会的发展而产生的新词。

- 语音、词汇、语法、汉字教学都遵循了汉语的内在规律和语言的学习规律。
  - ◇ 语音练习贯穿始终。每课的生词、课文、韵律诗、听力练习都配有录音，学生可以聆听、模仿。拼音在初级阶段伴随汉字一起出现。随着学生汉语水平的提高，拼音逐渐减少。
  - ◇ 通过实际情景教授常用的口语和书面语词汇。兼顾字义解释生词意思，利用固定搭配讲解生词用法，方便学生理解、使用。生词在课本中多次复现，以巩固、提高学习效果。
  - ◇ 强调系统学习语法的重要性。语法讲解简明直观。语法练习配有大量图片，让学生在模拟真实的情景中理解和掌握语法。
  - ◇ 注重基本笔画、笔顺、汉字结构、偏旁部首的教学，让学生循序渐进地了解汉字构成。练习册中有汉字练习，帮学生巩固所学。

- 全面培养听、说、读、写技能，特别是口语和书面表达能力。
  - ◇ 由听力入手导入课文。
  - ◇ 设计了多样有趣的口语练习，如问答、会话、采访、调查、报告等。

The characteristics of the series

- Since the 2nd edition, "Chinese Made Easy" has evolved to take into account social development needs, learning needs and advances in foreign language teaching methodology.
  - ◇ Varied and relevant topics have been chosen with reference to the latest syllabus requirements of: IGCSE Chinese examinations in the UK, AP Chinese exams in the US, and Language B Chinese exams from the IBO. The content of the texts are varied and relevant to students and different styles of texts are used in this series.
  - ◇ In order to meet the needs of students' communication in Chinese and prepare them for the exams, the vocabulary chosen for this series is not only frequently used but also has the capacity to form new phrases. The core vocabulary of the syllabus of IGCSE Chinese exams, IB Chinese exams and the prescribed vocabulary list for HSK exams has been carefully considered. New vocabulary and expressions that have appeared recently due to language evolution have also been included.

- The teaching of pronunciation, vocabulary, grammar and characters respects the unique Chinese language system and the way Chinese is learned.
  - ◇ Audio recordings of new words, texts, rhymes and listening exercises are available for students to listen and imitate with a view to improving pronunciation. Pinyin appears on top of characters at an early stage and is gradually removed as the student gains confidence.
  - ◇ Vocabulary used in practical situations in both oral and written form is taught within authentic contexts. In order for the students to better understand and correctly apply new words, the relevant meaning of each character is introduced. The fixed phrases and idioms are learned through sample sentences. Vocabulary that appears in earlier books is repeated in later books to reinforce and consolidate learning.
  - ◇ The importance of learning grammar systematically is emphasized. Grammatical rules are explained in a simple manner, followed by practice exercises with the help of ample illustrations. In order for the students to have a better understanding of and achieve mastery over grammatical rules, authentic situations are provided.
  - ◇ In order for the students to understand the formation of characters, this series stresses the importance of teaching basic strokes, stroke order, character structures and radicals. To consolidate the learning of characters, character-specific exercises are provided in the workbook.

- The development of four language skills, especially productive skills (i.e. speaking and writing) is emphasized.
  - ◇ Each text is introduced through a listening exercise.
  - ◇ Varied and engaging oral tasks, such as questions and answers, conversations, interviews, surveys and oral presentations are designed.

◇ 提供了大量阅读材料，内容涵盖日常生活、社会交往、热门话题等方面。

◇ 安排了电邮、书信、日记等不同文体的写作训练。

• 重视文化教学，形成多元文化意识。

◇ 随着学生汉语水平的提高，逐步引入更多对中国社会、文化的介绍。

◇ 练习册中有较多文化阅读及相关练习，使文化认识和语言学习相结合。

• 在培养汉语表达能力的同时，鼓励学生独立思考和批判思维。

课堂教学建议

• 本套教材第一至第四册，每册分别要用大约 100 个课时完成。第五至第七册，难度逐步加大，需要更多的教学时间。教师可以根据学生的汉语水平和学习能力灵活安排教学进度。

• 在使用本套教材时，建议教师：

◇ 带领学生做第一册课本中的语音练习。鼓励学生自己读出新的生词。

◇ 强调偏旁部首的学习。启发学生通过偏旁部首猜生字的意思。

◇ 讲解生词中单字的意思。遇到不认识的词语，引导学生通过语境猜词义。

◇ 借助语境展示、讲解语法。

◇ 把课文作为写作范文。鼓励学生背诵课文，培养语感。

◇ 根据学生的能力和水平，调整或扩展某些练习。课本和练习册中的练习可以在课堂上用，也可以让学生在家里做。

◇ 展示学生作品，使学生获得成就感，提高自信心。

◇ 创造机会，让学生在真实的情景中使用汉语，提高交际能力。

马亚敏
2014 年 6 月于香港

◇ Reading materials are chosen with the students in mind and cover relevant topics taken from daily life.

◇ Composition exercises ensure competence in different text types such as E-mails, letters, diary entries and etc.

• In order to foster the students' multi-cultural awareness, the teaching of Chinese cultural elements is emphasized.

◇ As students' Chinese language skills increase, an effort has been made to introduce more about contemporary China and Chinese culture.

◇ Plenty of reading materials and related exercises are available in the workbook, so that language learning can be interwoven with cultural awareness.

• While cultivating the ability of language use in Chinese, this series encourages students to think independently and critically.

HOW TO USE THIS SERIES

• Each of the books 1, 2, 3 and 4 covers approximately 100 hours of class time. The difficulty level of Books 5, 6 and 7 increases and thus the completion of each book will require more class time. Ultimately, the pace of teaching depends on the students' level and ability.

• Here are some suggestions as how to use this series. The teachers should:

◇ Go over with the students the phonetics exercises in Book 1, and at a later stage, the students should be encouraged to pronounce new pinyin on their own.

◇ Stress the importance of learning radicals, and encourage the students to guess the meaning of a new character by applying their understanding of radicals.

◇ Explain the meaning of each character, and guide the students to guess the meaning of a new phrase using contextual clues.

◇ Demonstrate and explain grammatical rules in context.

◇ Use the texts as sample essays and encourage the students to recite them with the intention of developing a feel for the language.

◇ Modify or extend some exercises according to the students' levels and ability. Exercises in both textbook and workbook can be used for class work or homework.

◇ Display the students' works with the intention of fostering a sense of success and achievement that would increase the students' confidence in learning Chinese.

◇ Provide opportunities for the students to practise Chinese in authentic situations in order to improve confidence and fluency.

Yamin Ma
June 2014, Hong Kong

Authors' acknowledgements

We are grateful to the following who have so graciously helped with the publication of this series:

- Our publisher, 侯明女士 who trusted our ability and expertise in the field of Chinese language teaching and learning.
- Editors, 尚小萌 and Annie Wang for their meticulous hard work and keen eye for detail.
- Graphic designers, 钟文君、吴冠曼、陈先英 for their artistic talent in the design of the series' appearance.
- 于霆、王茜茜、陆颖 for their creativity and imagination in their illustrations.
- The art consultant, Arthur Y. Wang, without whose guidance the books would not be so visually appealing.
- 胡廉轲、刘梦箫 who recorded the voice tracks that accompany this series.
- And finally, to our family members who have always given us generous and unwavering support.

目 录

第一课　我的家庭

生词 1

❶ xiāng qīn xiāng ài　相亲相爱 love each other　wǒ men yì jiā rén xiāng qīn xiāng ài　我们一家人相亲相爱。

❷ shè　社 society　shè gōng　社工 social worker

❸ fán　繁 numerous; complicated　fán máng　繁忙 busy

❹ shí fēn　十分 very; extremely

❺ ài hù　爱护 take good care of　fù mǔ shí fēn guān xīn、ài hù wǒ hé mèi mei　父母十分关心、爱护我和妹妹。

❻ yù　遇 encounter　yù dào　遇到 come across

❼ fán　烦（煩）annoyed

❽ nǎo　恼（惱）annoyed　fán nǎo　烦恼 upset; worried

❾ yuàn　愿（願）be willing to　yuàn yì　愿意 be willing to

❿ jiǎng　讲 speak; talk

⓫ guǎn　管 bother about　bù guǎn　不管 no matter (what, how, etc.)　bù guǎn……dōu……　不管……都…… no matter

bù guǎn yù dào shén me shì qing　yǒu shén me fán nǎo，wǒ men dōu yuàn yì gēn fù mǔ jiǎng
不管遇到什么事情、有什么烦恼，我们都愿意跟父母讲。

⓬ jí shí　及时 in time　fù mǔ zǒng shì nài xīn de tīng，jí shí de gěi wǒ men bāng zhù　父母总是耐心地听，及时地给我们帮助。

⓭ tīng huà　听话 be obedient　rú guǒ nǐ bù tīng huà，tā men huì shēng qì ma　如果你不听话，他们会生气吗？

⓮ gōu　沟（溝）channel　gōu tōng　沟通 connect

⓯ jiāo liú　交流 exchange　yì jiā rén yào duō gōu tōng、duō jiāo liú　一家人要多沟通、多交流。

⓰ hù　互 each other　hù xiāng　互相 each other

⓱ jiě　解 understand; untie　lǐ jiě　理解 understand

⓲ jué　决（決）decide　jiě jué　解决 solve

⓳ hǎo　好 be easy to do

⓴ zhǐ yào　只要 provided　zhǐ yào……jiù……　只要……就…… provided　zhǐ yào wǒ men hù xiāng lǐ jiě，wèn tí jiù hǎo jiě jué　只要我们互相理解，问题就好解决。

㉑ chí　持 support　zhī chí　支持 support　wǒ men hù xiāng guān xīn、hù xiāng lǐ jiě、hù xiāng zhī chí　我们互相关心、互相理解、互相支持。

㉒ chǎo jià　吵架 quarrel　nǐ jīng cháng gēn mèi mei chǎo jià ma　你经常跟妹妹吵架吗？

▲ Grammar: Pattern: ... 跟 ... 吵架

㉓ guān xi　关系 relationship　wǒ men liǎ de guān xi hěn hǎo　我们俩的关系很好。

1 用所给结构及词语完成句子

A 结构：只要我们互相理解，问题就好解决。

1) 只要我们努力，_____。（学好汉语）

2) 只要认真复习，_____。（考试）

3) 只要有时间，_____。（看书）

B 结构：不管遇到什么事情，我们都愿意跟父母讲。

1) 不管有什么烦恼，_____。（告诉）

2) 不管天气怎么样，_____。（去游泳）

3) 不管养什么宠物，_____。（花时间）

2 用所给结构看图完成句子

结构：父母总是耐心地听，及时地给我们帮助。

①  妹妹兴奋地说：……

②  妈妈感动地说：……

③  哥哥高兴地告诉老师：……

④  爸爸生气地对他说：……

2

3 用所给结构及词语完成句子

结构：只要我们互相理解，问题就好解决。

1) 毛笔字很好看，但是＿＿＿＿＿＿＿＿＿＿＿＿＿＿＿＿＿。（写）

2) 烤鸭很好吃，但是＿＿＿＿＿＿＿＿＿＿＿＿＿＿＿＿＿。（做）

3) 这条路＿＿＿＿＿＿＿＿＿＿＿＿＿，我们走那条路吧！（走）

4) 那个地方＿＿＿＿＿＿＿＿＿＿＿＿，我带你去吧！（找）

5) 春节期间的火车票、机票都＿＿＿＿＿＿＿＿＿＿＿。（买）

4 小组活动

要求 说一说你跟家人的关系。

① 你跟父母的关系怎么样？
- 我们互相关心
-
-
-

② 你跟兄弟姐妹的关系怎么样？
- 我们有时候也吵架
-
-
-

③ 父母会为什么事跟你生气？
- 我晚上太晚回家
-
-
-

④ 你会为什么事跟兄弟姐妹吵架？
- 弟弟弄脏了我的本子
-
-
-

1) 你有兄弟姐妹吗？你跟他们的关系怎么样？你跟谁的关系最好？

2) 你父母都工作吗？他们做什么工作？他们工作忙吗？他们经常出差吗？经常去哪里出差？

3) 如果父母工作很忙，你会帮忙做家务吗？你会做什么家务？

4) 你父母的性格怎么样？他们对你严格吗？他们在哪方面对你比较严格？

5) 如果遇到什么事情，你会先跟谁说？为什么？

6) 你经常跟父母沟通、交流吗？

7) 你最近有什么烦恼？你有没有跟父母讲？他们是怎么对你说的？他们是怎么帮你的？

8) 如果你不听父母的话，他们会生气吗？

你可以用

a) 我跟姐姐的关系很好。我们俩性格很像。她在学习方面经常帮助我。

b) 我爸爸工作非常忙，经常不在家。我从小就很独立，不管遇到什么事情都自己解决。

c) 我经常做家务，比如做简单的菜、收拾房间、洗衣服。

d) 我妈妈是一个善良的人。她乐意帮助别人，还很有耐心，从来都不生气。

e) 如果遇到什么事情，我一定会先跟哥哥说，因为他会耐心地听，还会帮我解决问题。

课文1

请介绍一下你的家庭。

我家有四口人：父母、妹妹和我。我们一家人相亲相爱(xiāng qīn xiāng ài)。

你父母做什么工作？平时忙不忙？

我爸爸是工程师，我妈妈是社工(shè gōng)。虽然他们工作繁(fán)忙(máng)，但是他们十分(shí fēn)关心、爱护(ài hù)我和妹妹。不管遇到(bù guǎn yù dào)什么事情、有什么烦恼(fán nǎo)，我们都愿意(dōu yuàn yì)跟他们讲(jiǎng)。他们总是耐心地听，及时(jí shí)地给我们帮助。

如果你不听话(tīng huà)，他们会生气吗？

他们很少生我们的气。爸妈常说，一家人要多沟(gōu)通(tōng)、多交流(jiāo liú)。只要(zhǐ yào)我们互相理解(hù xiāng lǐ jiě)，问题就好解决(jiù hǎo jiě jué)。

你经常跟妹妹吵架(chǎo jià)吗？

有时候我们也会吵架，但是我们俩的关系(guān xi)很好。我们既是姐妹又是朋友。

你很爱你的家人，对不对？

是啊！我们互相关心、互相理解、互相支持(zhī chí)。我非常爱他们！

要求 介绍你的父亲 / 母亲。你要介绍他 / 她的工作、性格、你跟他 / 她的关系。

例子:

　　我今天介绍一下我爸爸。我爸爸是飞行员。他经常飞亚洲的一些国家。爸爸很喜欢他的工作。他去过很多国家。我和妈妈也常常坐爸爸开的飞机去国外旅游。

　　我爸爸很善良,很有耐心。他乐意帮助人,很少发脾气。他还是一个爱干净的人。

　　我跟爸爸的关系很好。我们既是父子又是朋友。我经常跟爸爸沟通、交流。不管遇到什么事情、有什么烦恼,我都愿意跟他讲。他总是耐心地听,及时地给我帮助。

　　我认为我爸爸是世界上最好的爸爸。我爱我爸爸!

你可以用

a) 我爸爸是外科 wài kē 医生。他每天都很忙,有时候晚上也要去医院给病人 bìng rén 看病。

b) 我爸爸是足球教练 jiào liàn。他从小就对运动感兴趣。他足球踢得好极了!

c) 我妈妈是空姐 kōng jiě。她去过很多国家。欧洲、北美洲、南美洲、大洋洲和非洲,她都去过。

d) 我妈妈很有爱心,很有责任心。她乐意帮助别人,也很会照顾人。

e) 我跟妈妈的关系很好。我妈妈非常关心我、支持我。

f) 从小爸爸就培养 péi yǎng 我们独立的性格,让我们自己能做的事情一定要自己做。

生词 2 🎧 3

① 天下 *tiān xià* world 我认为我父母是天下最好的父母。
wǒ rèn wéi wǒ fù mǔ shì tiān xià zuì hǎo de fù mǔ

② 自信 *zì xìn* self-confident　**③** 求 *qiú* ask; beg　要求 *yāo qiú* demand; request

④ 靠 *kào* rely on 父母要求我自己能做的事情一定要自己做，不能靠别人。
fù mǔ yāo qiú wǒ zì jǐ néng zuò de shì qing yí dìng yào zì jǐ zuò bù néng kào bié rén

⑤ 鼓 *gǔ* stir up　**⑥** 励（勵）*lì* encourage　鼓励 *gǔ lì* encourage　**⑦** 表 *biǎo* express　发表 *fā biǎo* express

⑧ 意见 *yì jiàn* view; opinion　**⑨** 想法 *xiǎng fǎ* view; opinion 父母鼓励我发表自己的意见，说出心里的想法。
fù mǔ gǔ lì wǒ fā biǎo zì jǐ de yì jiàn shuō chū xīn li de xiǎng fǎ

⑩ 决定 *jué dìng* decide 父母在做决定以前也会听我的意见。
fù mǔ zài zuò jué dìng yǐ qián yě huì tīng wǒ de yì jiàn

⑪ 辈（輩）*bèi* rank in (a family or clan) generational hierarchy　长辈 *zhǎng bèi* senior members of a family　晚辈 *wǎn bèi* younger generation

我跟父母既是晚辈和长辈的关系，又是朋友的关系。
wǒ gēn fù mǔ jì shì wǎn bèi hé zhǎng bèi de guān xi yòu shì péng you de guān xi

⑫ 难过 *nán guò* feel bad　**⑬** 分 *fēn* divide　**⑭** 享 *xiǎng* enjoy　分享 *fēn xiǎng* share

⑮ 论（論）*lùn* consider　不论 *bú lùn* regardless of　不论……都…… *bú lùn……dōu……* regardless of

不论我遇到快乐的事情还是难过的事情都愿意跟父母分享。
bú lùn wǒ yù dào kuài lè de shì qing hái shi nán guò de shì qing dōu yuàn yì gēn fù mǔ fēn xiǎng

⑯ 提 *tí* put forward　**⑰** 议（議）*yì* opinion; view　建议 *jiàn yì* proposal; suggestion

⑱ 道理 *dào lǐ* reason　**⑲** 照 *zhào* according to 父母提的建议，只要有道理，我就会照着做。
fù mǔ tí de jiàn yì zhǐ yào yǒu dào lǐ wǒ jiù huì zhào zhe zuò

⑳ 发火 *fā huǒ* get angry; lose temper 父母不会对我发火。
fù mǔ bú huì duì wǒ fā huǒ

▲
Grammar: Pattern: ... 对 ... 发火

㉑ 继（繼）*jì* continue　**㉒** 续（續）*xù* continue　继续 *jì xù* continue

父母会坐下来耐心地和我沟通，鼓励我继续努力。
fù mǔ huì zuò xia lai nài xīn de hé wǒ gōu tōng gǔ lì wǒ jì xù nǔ lì

▲
Grammar: a) "下来" serves as the complement of direction.
　　　　　b) Pattern: Verb + Complement of Direction（上／下／进／出／过／回／起＋来／去）

㉓ 温暖 *wēn nuǎn* warm　**㉔** 福 *fú* luck; happiness　幸福 *xìng fú* happy; happiness

结构：我经常跟父母分享我们学校的事情。我们互相理解、互相支持。

①  哥哥 跟……借
买

④  妈妈 跟……商量
生日礼物

②  姐姐 跟……讲
互相帮助

⑤  弟弟 跟……吵架
关系

③  同学 跟……聊天儿
发电邮

⑥  父母 跟……交流
互相关心

8 完成句子

① 我最近给父母提了一个建议。我建议他们……

② 我最近做了一个决定。我决定……

③ 父母总是鼓励我发表自己的意见，比如他们让我……

④ 老师经常鼓励我们说出自己的想法，比如在学校……

9 用所给结构及词语看图说话

结构：不论我遇到快乐的事情还是难过的事情都愿意跟父母分享。

①

去美国
去英国
上大学
支持

②

养狗
养猫
花时间
照顾

③

吃中餐
吃西餐
高兴

④

考试成绩
鼓励
继续

10 听课文录音，判断正误

☐ 1) 他很独立，自己的事情自己做。

☐ 2) 父母鼓励他发表意见。

☐ 3) 家里的事情，父母一般不听他的意见。

☐ 4) 他和父母的关系只是晚辈和长辈的关系。

☐ 5) 如果有开心的事情，他总是跟父母分享。

☐ 6) 不管父母说什么，他都会照着做。

☐ 7) 父母对他什么要求都没有。

☐ 8) 父母对他很有耐心。

我认为我父母是天下最好的父母。他们虽然工作繁忙，但是非常关心我。

我是家里的独生子。父母从小就培养我独立、自信的性格。他们要求我自己能做的事情一定要自己做，不能靠别人。他们还鼓励我发表自己的意见，说出心里的想法。家里的一些事情，父母在做决定以前也会听我的意见。

我跟父母既是晚辈和长辈的关系，又是朋友的关系。不论我遇到快乐的事情还是难过的事情都愿意跟父母分享。父母说的话、提的建议，只要有道理，我就会照着做。如果他们对我的要求太高了，我做不到，他们也不会对我发火。他们会坐下来耐心地和我沟通，鼓励我继续努力。

生活在这样一个温暖的家庭，我感到很幸福、很快乐。

11 翻译

例子：他们会<u>坐下来</u>和我沟通。
　　　They will sit down and communicate with me.

1) 汽车<u>开过来</u>了。

2) 他<u>走进去</u>了。

3) 弟弟<u>跑出去</u>了。

4) 妹妹<u>走回去</u>了。

5) 请你<u>站起来</u>。

6) 我们应该<u>坐下来</u>沟通一下。

7) 妈妈<u>买回来</u>一条鱼。

8) 我从楼上<u>搬下来</u>几把椅子。

12 用所给结构及词语看图说话

A 结构：如果我做不到，父母不会<u>对</u>我<u>发火</u>。

①
对……严格
喜欢

②
对……感兴趣
当美术老师

B 结构：父母<u>对</u>我的<u>要求</u>太高了。

①
对……要求
希望　当

②
对……印象
好　希望

11

情景1 最近两次汉语考试你都不及格，所以父母昨天晚上对你发火了。跟同学编对话，听听他对这件事的想法。

例子：

你：你跟父母的关系怎么样？

同学：……

你：在学习方面，父母对你有什么要求？

同学：……

你：父母会为什么事对你发火？

同学：……

你：如果你考试成绩不好，他们会对你发火吗？

同学：……

你：我最近两次汉语考试都不及格，昨天父母对我发火了。你觉得我应该怎么跟他们沟通？

同学：……

你：如果父母不理解我，我应该怎么做？

同学：……

情景2 父母很关心你、爱护你，但是他们总是把你当小孩子。跟同学编对话，听听他父母是怎样对待他的。

例子：

你：你在家里可以发表意见吗？

同学：……

你：你的事情都是自己决定的吗？

同学：……

你：你做决定以前会听父母的意见吗？

同学：……

你：我父母总是把我当小孩子，帮我安排所有的事。你父母会这样吗？

同学：……

你：如果有难过的事，你会跟父母说吗？

同学：……

你：你遇到麻烦的时候会跟父母说还是自己解决？

同学：……

14 角色扮演

情景 你跟妈妈说你想养一只狗。

例子：

你： 妈妈，我朋友家的狗上个星期生了三只小狗。她可以送我一只。

妈妈： 你现在学习这么忙，有时间养狗吗？

你： 我觉得我可以照顾小狗。每天放学以后，我一到家就做作业。做完作业以后，我就喂小狗，带它散步。我认为通过养狗我可以学会管理时间。

妈妈： 除了照顾小狗，你还要花时间训练它。

你： 我知道。我要训练它去固定（gù dìng）的地方大小便，还要让它养成好的习惯。我的朋友会教我怎样训练小狗。

妈妈： 你知道养狗要花很多钱吗？

……

— 你可以用 —

a) 买狗粮和给小狗打预防针都很贵。如果小狗生病了，要带它去看宠物医生，费用也不便宜。

b) 如果我们去国外旅行，可以把小狗寄养在朋友家。

c) 我以前比较懒。养了狗以后，我不但自己的事情自己做，还可以照顾好我的小狗。

d) 狗是人类的好朋友。它们又忠诚又可爱。相信养狗会给我带来很多快乐。

e) 小狗可能会把东西弄乱、把房间弄脏，但是我会训练它，也会经常收拾房间。

第二课 对我有影响的人

生词 1 5

① míng rén 名人 famous person

② lín dān 林丹 a Chinese badminton player

③ wén 闻（聞）hear　wén míng 闻名 well-known

④ yùn dòng yuán 运动员 athlete

⑤ bàng 棒 terrific　tā yǔ máo qiú dǎ de bàng jí le 他羽毛球打得棒极了！

⑥ fú jiàn 福建 Fujian Province

⑦ jì 技 skill　qiú jì 球技 ball game skills

⑧ chū sè 出色 outstanding; remarkable　tā de qiú jì fēi cháng chū sè 他的球技非常出色。

⑨ ào 奥（奧）yùn huì 运会 Olympic Games

⑩ lún 伦（倫）dūn 敦 London

⑪ huò 获（獲）get　huò dé 获得 get

⑫ nán zǐ 男子 man

⑬ dān 单 single　dān dǎ 单打 singles

⑭ guàn 冠 first place; champion

⑮ jūn 军（軍）army　guàn jūn 冠军 champion　lín dān zài nián lún dūn ào yùn huì shang huò dé le nán zǐ dān dǎ guàn jūn 林丹在 2012 年伦敦奥运会上获得了男子单打冠军。

⑯ qiú mí 球迷 (ball game) fan

⑰ chāo jí 超级 super

⑱ tā yǐ jīng jié hūn le ba 他已经结婚了吧？

▲ **Grammar:** "吧" can be put at the end of a question when asking for confirmation.

⑲ gè xìng 个性 personality

⑳ chuān zhuó 穿着 dress

㉑ shàng 尚 tendency　shí shàng 时尚 fashionable; fashion　tā de chuān zhuó fēi cháng shí shàng 他的穿着非常时尚。

㉒ kù 酷 cool　tā kàn qi lai hěn kù 他看起来很酷。

▲ **Grammar:** a) Pattern: Verb + 起来
　　　　b) This pattern is used to indicate an impression or idea from different aspects.

㉓ kǔ 苦 hard; weary　kè kǔ 刻苦 hardworking　tā yòu cōng míng yòu kè kǔ 他又聪明又刻苦。

㉔ jīng 精 superb　jīng cǎi 精彩 wonderful　tā de bǐ sài chǎng chǎng dōu shí fēn jīng cǎi 他的比赛场场都十分精彩。

㉕ bó kè 博客 blog　tā hái xǐ huan chàng gē hé xiě bó kè 他还喜欢唱歌和写博客。

1 用所给结构及词语看图完成对话

结构: A: 林丹已经结婚了吧?

B: 对。他是 2012 年结婚的。

① 上海

A: 你春节回北京了吧?

B: _____

② 高铁

A: 你是坐飞机去哈尔滨的吧?

B: _____

③ 叔叔

A: 这是你爸爸的车吧?

B: _____

④ 秋天

A: 你暑假去杭州了吧?

B: _____

2 用所给结构及词语完成句子

结构: 林丹的比赛场场都十分精彩。

1) 外婆做的菜_____。（好吃）

2) 小姨的衣服_____。（时尚）

3) 爸爸说的话_____。（有道理）

4) 叔叔拍的照片_____。（漂亮）

5) 舅舅写的小说_____。（好看）

6) 我的同学_____。（努力）

7) 这家文具店卖的东西_____。（便宜）

3 小组活动

要求 列出奥运会的比赛项目。

① **球类运动**

• 篮球   •   •

•   •   •

② **水上运动**

• 水球   •   •

•   •   •

③ **冰上运动**

• 冰球   •   •

•   •   •

④ **田径运动** (tián jìng)

• 100 米短跑   •   •

•   •   •

你可以用

a) 跨栏 (kuà lán)

b) 花样滑冰 (huā yàng)

c) 跳高

d) 跳远

e) 铅球

f) 铁饼

g) 帆船 (fān chuán)

h) 橄榄球 (gǎn lǎn qiú)

i) 100×4 接力赛 (jiē lì sài)

j) 800 米中长跑

k) 1500 米长跑

4 根据实际情况回答问题

1) 你喜欢体育运动吗?

2) 你今年参加了什么体育活动?

3) 你每天都做运动吗? 你什么时候做运动?

4) 你最喜欢哪种运动? 你是从什么时候开始做这种运动的? 你经常参加比赛吗? 你最近有没有比赛? 哪天有比赛? 你们赢了吗? (yíng)

5) 如果现在在开夏季奥运会, 你最想看什么比赛?

6) 你最喜欢哪个运动员? 请介绍一下他 / 她。

课文 1

你最喜欢哪位
míng rén
名人？

我最喜欢林丹。他是中国也是
wén míng   yùn dòngyuán
世界闻名的羽毛球运动员。他
                bàng
羽毛球打得棒极了！我真希望
有一天能像他一样！

那请你介绍一下林丹。

            fú jiàn   qiú jì
林丹是福建人。他五岁就开始打羽毛球了。他的球技非
chū sè   ào yùn huì   lún dūn
常出色，在 2008 年北京奥运会和 2012 年伦敦奥运会上
huò dé   nán zǐ dān dǎ guàn jūn   qiú mí   chāo jí
获得了男子单打冠军。球迷们都叫他"超级丹"。

林丹在场外是什么样的人？他已经结婚了吧？

                    gè xìng   chuān zhuó
他是一个很有个性的运动员。他的穿着非常
shí shàng   kù
时尚，看起来很酷。他是 2012 年结婚的。他
的妻子也是中国有名的羽毛球运动员。

你为什么喜欢他？

            kè kǔ   jīng cǎi
他又聪明又刻苦。他的比赛场场都十分精彩。

除了打球，他还有什么爱好？

                                        bó kè
除了打球，他还喜欢唱歌和写博客。

5 用所给结构及词语看图完成句子

结构：他的穿着非常时尚，看起来很酷。

①  看　高兴　姐姐……

②  读　有意思　这本小说……

③  穿　舒服　这件衣服……

④  写　容易　这两个汉字……

6 小组活动

要求　介绍你喜欢的体育名人。

例子：

同学1：我最喜欢姚明（yáo míng）。他篮球打得棒极了！

同学2：我也喜欢姚明。我是他的球迷。我真希望有一天能像他一样，篮球打得那么好！

同学3：姚明是上海人吧？

同学1：对。他是上海人。他……

同学2：他在美国打了几年篮球？

同学1：……

同学3：他在场外是什么样的人？

同学1：……

同学2：他已经结婚了吧？

……

生词 2

① 影响 yǐngxiǎng influence　从小到大，妈妈对我的影响最大。
cóngxiǎo dào dà　mā ma duì wǒ de yǐngxiǎng zuì dà

▲ Grammar: Pattern: ... 对 ... 的影响 ...

② 校长 xiàozhǎng headmaster; principal　**③** 朗 lǎng light; bright　开朗 kāi lǎng cheerful; optimistic

④ 外向 wài xiàng extravert　她性格开朗、外向。
tā xìng gé kāi lǎng　wài xiàng

⑤ 热情 rè qíng warm-hearted　**⑥** 大方 dà fāng generous　她对人热情、大方。
tā duì rén rè qíng　dà fāng

⑦ 认真 rèn zhēn conscientious　**⑧** 负（負）fù bear　负责 fù zé serious　她对工作认真、负责。
tā duì gōng zuò rèn zhēn　fù zé

⑨ 热爱 rè ài have deep love for　她热爱生活。
tā rè ài shēng huó　**⑩** 抽 chōu take a part from a whole　**⑪** 多么 duō me how

⑫ 无论 wú lùn regardless of　无论……都…… wú lùn……dōu…… regardless of

无论多么忙，她都会抽时间关心我和弟弟的学习和生活。
wú lùn duō me máng　tā dōu huì chōu shí jiān guān xīn wǒ hé dì di de xué xí hé shēng huó

▲ Grammar: Sentence Pattern: 无论 + 多么 + Adjective, Subject + 都 ...

⑬ 况（況）kuàng situation　情况 qíng kuàng situation　她每天下班回家后总是先问我们在学校的情况。
tā měi tiān xià bān huí jiā hòu zǒng shì xiān wèn wǒ men zài xué xiào de qíng kuàng

⑭ 需 xū need　需要 xū yào need　**⑮** 醒 xǐng wake up (to reality)　提醒 tí xǐng remind

⑯ 尽（盡）jìn to the limit　**⑰** 尽（儘）jǐn to the greatest extent　尽管 jǐn guǎn though　尽管……，但是…… jǐn guǎn……dàn shì…… though

尽管考试成绩很重要，但是更重要的是要尽自己最大的努力。
jǐn guǎn kǎo shì chéng jì hěn zhòng yào　dàn shì gèng zhòng yào de shì yào jìn zì jǐ zuì dà de nǔ lì

⑱ 课堂 kè táng classroom　**⑲** 识（識）shí knowledge　知识 zhī shi knowledge　书本中有课堂上学不到的知识。
shū běn zhōng yǒu kè táng shang xué bu dào de zhī shi

⑳ 断（斷）duàn break off　不断 bú duàn continuously

㉑ 诚实 chéng shí honest

我要向妈妈学习。我不但要努力读书，而且要做一个诚实、自信、有责任心的人。
wǒ yào xiàng mā ma xué xí　wǒ bú dàn yào nǔ lì dú shū　ér qiě yào zuò yí ge chéng shí　zì xìn　yǒu zé rèn xīn de rén

▲ Grammar: Pattern: ... 向 ... 学习

7 用所给结构及词语看图完成句子

结构：尽管考试成绩很重要，但是更重要的是要尽自己最大的努力。

① 气温

尽管现在是春天，但是……

② 跑步

尽管外面下着小雨，但是……

③ 参加

尽管姐姐今年学习很忙，但是……

④ 成绩

尽管他每天都花半个小时学汉语，但是……

8 完成句子

1) 从小到大，奶奶对我的影响_____。

2) 我们的汉语老师对工作_____。

3) 无论工作多么繁忙，爸爸_____。

4) 我每天都会抽一些时间_____。

5) 爸爸时常提醒我_____。

6) 我要向妈妈学习，_____。

9 小组活动

要求 介绍你的一个朋友。

例子:

　　我的朋友叫国立。我们是小学同学。

　　国立的性格开朗、外向,对人热情、友好。他学习非常好,差不多每次考试都能得九十多分。如果我在学习上遇到困难,他会帮助我。……

你可以用

a) 他性格温和 / 开朗 / 外向 /
   nèi xiàng
   内向。

b) 他非常诚实 / 自信 / 热情 /
   大方 / 善良 / 独立。

c) 他是一个热心 / 诚实 / 自信
   的人。

d) 他很有爱心 / 耐心 / 责任心。

e) 他对人热情。

f) 他对工作认真、负责。

g) 他常常对学生发火。

h) 他从来都不发脾气。

i) 他特别爱讲笑话。

j) 他愿意 / 乐意帮助别人。

10 听课文录音,选择正确答案

1) 妈妈＿＿＿＿＿＿＿＿＿＿＿。

　　a) 性格开朗、内向

　　b) 很有爱心,但是没耐心

　　c) 热爱工作和生活

2) 妈妈＿＿＿＿＿＿＿＿＿＿＿。

　　a) 工作不太忙

　　b) 说考试成绩最重要

　　c) 关心他们的学习和生活

3) 妈妈＿＿＿＿＿＿＿＿＿＿＿。

　　a) 自己不常学习

　　b) 说读书很重要

　　c) 学习进步不快

4) 他＿＿＿＿＿＿＿＿＿＿＿。

　　a) 要做诚实、自信的人

　　b) 只会努力学习

　　c) 会向爸爸学习

从小到大，妈妈对我的影响最大。

我妈妈是一位小学校长。她性格开朗、外向，既有爱心又有耐心。她对人热情、大方，对工作认真、负责。她热爱生活，热爱工作，更热爱我们的家。无论多么忙，她都会抽时间关心我和弟弟的学习和生活。她每天下班回家后总是先问我们在学校的情况，功课需不需要帮忙。她时常提醒我们尽管考试成绩很重要，但是更重要的是要尽自己最大的努力。她还鼓励我们多读书，因为书本中有课堂上学不到的知识。妈妈自己也每天都学习。她常说只有不断学习新知识，才能不断进步。

我要向妈妈学习。我不但要努力读书，而且要做一个诚实、自信、有责任心的人。

11 用所给结构及词语看图完成句子

结构：无论多么忙，妈妈都会抽时间关心我们的学习和生活。

 跑步　无论多么冷，爷爷……

 训练　无论多么忙，他们……

 九十多分　无论数学考试多么难，哥哥……

 做完　无论作业多么多，他……

12 采访同桌，向全班汇报

问题	妈妈	爸爸
1) 他 / 她做什么工作？		
2) 他 / 她工作忙吗？		
3) 他 / 她对你有什么要求？		
4) 他 / 她会抽时间陪你做什么？		
5) 你们经常聊天儿吗？经常聊什么？		
6) 他 / 她常提醒你什么？		
7) 他 / 她鼓励你做什么？		
8) 他 / 她下班以后喜欢做什么？		

13 小组讨论

要求 说一说你跟家人的关系。

1) 在学习方面，父母对你有什么要求？
   你认为他们对你的要求高吗？如果
   你做不到，他们会生气吗？

2) 父母是不是要求你自己的事情自己
   做？他们要求你自己做什么？

3) 如果父母说的话有道理，你会照着
   做吗？请举一个例子。

4) 如果有快乐的事情，你会跟谁分享？

5) 如果有难过的事情，你会跟谁说？

14 用所给结构完成句子，并续写一段话

结构：从小到大，妈妈对我的影响最大。我妈妈是一位小学校长。她
对人热情、大方，对工作认真、负责。我要向妈妈学习。我不
但要努力读书，而且要做一个诚实、自信、有责任心的人。

① 我对北京的印象……

② 爸爸对我的影响……

③ 我妈妈对工作……

④ 我的中文老师对学生……

15 口头报告

要求 介绍一个对你影响很大的人。

例子：

奶奶对我的影响很大。我从她身上学到了很多。

我小时候父母工作特别忙，没有时间照顾我，所以妈妈让我跟奶奶一起住。在我的印象中，奶奶是一个心地善良的人。她非常乐意帮助别人。她也很有耐心，从来都不发脾气。奶奶还特别独立。如果她想做一件事，无论遇到什么困难(kùn nan)，她都会努力克服(kè fú)。

我也是一个很独立、很有耐心的人。我什么事情都自己做。在学习上，如果遇到困难，我一定会多问、多练，努力克服困难。在家里，我跟家人的关系很好。我们互相关心、互相理解、互相支持。

你可以用

a) 我和哥哥既是兄妹又是朋友。我不开心的时候他总能说一些让我开心的话，做一些让我开心的事。

b) 妈妈对我的影响最大。她在我们的生活和学习上花了很多时间，给了我们很大帮助。

c) 爸爸性格开朗，很有耐心。我遇到困难时，他总会耐心地告诉我该怎么做。

d) 我的数学老师做事认真，工作努力。他总是鼓励我们要好好学习。

第三课 我的理想

生词1

1 bào kǎo
报考 register for an examination　　wǒ dǎ suàn bào kǎo běi jīng dà xué
我打算报考北京大学。

2 liú
留 stay　　dà xué bì yè yǐ hòu wǒ kě néng liú zài zhōng guó gōng zuò
大学毕业以后我可能留在中国工作。

3 zhī　　zhī yī
之 's; of　之一 one of　　běi dà shì zhōng guó zuì zhù míng de dà xué zhī yī
北大是中国最著名的大学之一。

4 yī liú
一流 top-rate; first-class　　běi dà shì shì jiè yī liú de dà xué
北大是世界一流的大学。

5 bì　　bì yè
毕（畢）finish; conclude　毕业 graduate　　zài běi dà xué xí bì yè yǐ hòu zhǎo gōng zuò yīng gāi huì róng yì yì xiē
在北大学习，毕业以后找工作应该会容易一些。

> **Grammar:** "找工作" serves as the subject.

6 zhuān　　zhuān yè
专（專）specialized　专业 special field of study　　nǐ xiǎng qù běi dà xué shén me zhuān yè
你想去北大学什么专业？

7 liǎo　　liǎo jiě
了 understand　了解 understand　　wǒ bǐ jiào liǎo jiě zì jǐ
我比较了解自己。

8 kuài jì　　kuài jì shī
会计 accounting　会计师 accountant　　**9** fǎ lǜ
法律 law　　**10** jīng jì xué
经济学 economics

11 yuán　　yuán yīn
原 primary; original　原因 cause; reason　　**12** zhēng
争（爭）strive　　**13** qǔ　　zhēng qǔ
取 get　争取 strive for

14 yì　　yì gōng
义（義）be voluntary　义工 volunteer　　**15** cí　　cí shàn
慈 kind; loving　慈善 charitable

chú le nǔ lì xué xí zhēng qǔ zuì hǎo de chéng jì yǐ wài wǒ hái cān jiā le yì xiē kè wài huó dòng bǐ rú zuò yì gōng
除了努力学习、争取最好的成绩以外，我还参加了一些课外活动，比如做义工、

zuò cí shàn gōng zuò děng
做慈善工作等。

16 jì
计 plan　　**17** huà
划（劃）divide　计划 plan　　**18** biān yuǎn
边远 remote　　**19** dì qū
地区 area; region

wǒ hái jì huà míng nián shǔ jià qù zhōng guó de biān yuǎn dì qū jiāo yīng yǔ
我还计划明年暑假去中国的边远地区教英语。

20 shēn　　shēn qǐng
申 state; explain　申请 apply for　　xiāng xìn zhè xiē dōu huì duì wǒ shēn qǐng běi dà yǒu bāng zhù
相信这些都会对我申请北大有帮助。

1 用所给结构完成句子

结构：在北大学习，毕业以后找工作应该会容易一些。

1) 住公寓式酒店既_____。

gāo tiě
2) 乘坐高铁旅游_____。

3) 选择去北京上大学_____。

4) 假期去做义工_____。

5) 想获得武术大赛冠军_____。

2 小组活动

要求　在规定的时间里完成下表。

你们学校的设施	你们学校提供的课程	你们大学想学的专业	你们以后想做的工作
• 礼堂	• 汉语	• 数学	• 商人
•	•	•	•
•	•	•	•
•	•	•	•
•	•	•	•
•	•	•	•
•	•	•	•
•	•	•	•

3 用所给结构及词语看图完成句子

结构：北大是中国最著名的大学之一，也是世界一流的大学。

①  爱好　写博客是……

②  课外活动　做义工是……

③  专业　经济学是……

④  困难　汉字难是……

4 根据实际情况回答问题

1) 你在这所学校读了几年了？你喜欢这所学校吗？为什么？

2) 你今年有几门课？有什么课？你对哪门课最感兴趣？你觉得哪门课最难？为什么？

3) 你今年参加了什么课外活动？你周末有活动吗？

4) 你做过义工吗？你是在哪儿做义工的？每个星期做几次？一次做多长时间？

5) 你想去中国上大学吗？为什么？你大学想学什么专业？

6) 你大学毕业以后想做什么工作？你想去哪里工作？

7) 你想去中国工作吗？为什么？

你中学 bì yè 毕业以后有什么打算?

我打算 bào kǎo 报考北京大学。大学毕业以后我可能 liú 留在中国工作，也可能回到新加坡工作。

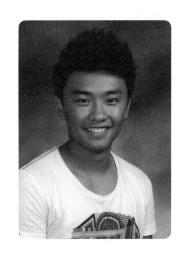

你为什么想去北大?

北大是中国最著名的大学 zhī yī 之一，也是世界一流 yī liú 的大学。在北大学习，毕业以后找工作应该会容易一些。

那你想去北大学什么专业 zhuān yè?

我比较 liǎo jiě 了解自己。我不想当会计师 kuài jì shī，不想学法律 fǎ lù，也不想学医。我对商科和经济学 jīng jì xué 比较感兴趣，但还没想好。这也是我想去北大的原因 yuán yīn 之一，那里的商科和经济学都很有名。

为了申请北大，你做了哪些准备?

除了努力学习、争取 zhēng qǔ 最好的成绩以外，我还参加了一些课外活动，比如做义工 yì gōng、做慈善 cí shàn 工作等。我还计划 jì huà 明年暑假去中国的边远地区 biānyuǎn dì qū 教英语。相信这些都会对我申请 shēn qǐng 北大有帮助。

5 用所给结构及词语完成句子

结构：去北大学什么专业我还没想好。

1) 午饭我已经＿＿＿＿＿＿＿＿＿＿＿＿＿＿＿＿＿＿＿＿＿。（做）

2) 碗筷她已经＿＿＿＿＿＿＿＿＿＿＿＿＿＿＿＿＿＿＿＿＿。（摆）

3) 做晚饭需要的菜＿＿＿＿＿＿＿＿＿＿＿＿＿＿＿＿＿＿＿。（买）

4) 他已经把校服＿＿＿＿＿＿＿＿＿＿＿＿＿＿＿＿＿＿＿＿＿。（换）

5) 今年的暑期活动我已经＿＿＿＿＿＿＿＿＿＿＿＿＿＿＿。（安排）

6) 他大学已经＿＿＿＿＿＿＿＿＿＿＿＿＿＿＿＿＿＿＿＿。（申请）

6 小组讨论

要求　说一说你中学毕业以后的打算。

1) 你中学毕业以后有什么打算？

2) 你最想去哪所大学？为什么？

3) 你大学想学什么专业？为什么？

4) 为了进这所大学，你做了哪些准备？

交通大学

清华大学

生词 2 🎧 11

① 部分 *bù fen* part; portion　　**②** 梦（夢）*mèng* dream　梦想 *mèngxiǎng* dream

③ 改 *gǎi* change　　**④** 变（變）*biàn* change　改变 *gǎi biàn* change

对大部分人来说，小时候的梦想长大后可能会改变。
duì dà bù fen rén lái shuō　xiǎo shí hou de mèngxiǎng zhǎng dà hòu kě néng huì gǎi biàn

▲
Grammar: "对 ... 来说" indicates that a judgement is directed at a certain person or thing.

⑤ 例 *lì* example　例子 *lì zi* example　　**⑥** 授 *shòu* teach　教授 *jiào shòu* professor

⑦ 艺（藝）*yì* art　艺术 *yì shù* art　艺术家 *yì shù jiā* artist　　**⑧** 画家 *huà jiā* painter; artist　　**⑨** 数学家 *shù xué jiā* mathematician

⑩ 稚 *zhì* young　幼稚 *yòu zhì* young　幼稚园 *yòu zhì yuán* kindergarten

⑪ 就是 *jiù shì* just; only　上幼稚园时我什么都喜欢，就是不愿意画画儿。
shàng yòu zhì yuán shí wǒ shén me dōu xǐ huan　jiù shì bú yuàn yì huà huàr

⑫ 绘（繪）*huì* paint; draw　绘画 *huì huà* drawing; painting

⑬ 受 *shòu* receive　上小学后，受父母影响，我才开始对绘画感兴趣。
shàngxiǎo xué hòu　shòu fù mǔ yǐng xiǎng　wǒ cái kāi shǐ duì huì huà gǎn xìng qù

▲
Grammar: Pattern: 受 ... 影响

⑭ 奥林匹克 *ào lín pǐ kè* Olympic　　**⑮** 竞（競）*jìng* compete　竞赛 *jìng sài* competition

⑯ 名 *míng* a measure word (used for people)

我经常参加市里的奥林匹克数学竞赛，有一次还得了第一名。
wǒ jīng cháng cān jiā shì li de ào lín pǐ kè shù xué jìng sài　yǒu yí cì hái dé le dì yī míng

⑰ 医学 *yī xué* medical science　去年，我又爱上了医学。
qù nián　wǒ yòu ài shàng le yī xué

⑱ 有关 *yǒu guān* relevant　我读了一些有关医学的书。
wǒ dú le yì xiē yǒu guān yī xué de shū

⑲ 见习 *jiàn xí* learn on the job　我每个星期六都去医院见习。
wǒ měi ge xīng qī liù dōu qù yī yuàn jiàn xí

7 用所给结构及词语看图完成句子

结构：上幼稚园时我什么都喜欢，就是不愿意画画儿。

①  高尔夫球 爷爷什么运动都喜欢，……

②  数学 哥哥什么科目都学得不错，……

③  健康 快餐挺好吃的，……

④  贵 那双鞋穿起来很舒服，……

8 根据实际情况回答问题

1) 你妈妈做什么工作？她对你有什么影响？

2) 你爸爸做什么工作？他以前做过什么工作？他喜欢现在的工作吗？他对你有什么影响？

3) 你小时候的梦想是什么？你小时候的梦想跟现在的一样吗？

4) 你对绘画感兴趣吗？你会画什么画儿？

5) 你数学学得怎么样？你参加过奥林匹克数学竞赛吗？

6) 你平时喜欢看什么书？你最近在看什么书？这本书好看吗？介绍一下这本书。

7) 你见习过吗？你最想去哪里见习？

9 用所给结构及词语看图完成句子

结构：受父母影响，我开始对绘画感兴趣。

①

妈妈　看书

……，我睡觉前也……

②

同学　下棋

……，我也……

③

朋友　宠物

……，我也……

④

台风　大雨

……，今天会……

10 听课文录音，回答问题

1) 她父母做什么工作？

2) 父母希望她长大后做什么？

3) 她上幼稚园时不愿意做什么？

4) 她是从什么时候开始对绘画感兴趣的？

5) 她上初中时的理想是什么？

6) 她从去年开始看什么书？

7) 她这个学期有什么特别的"课外活动"？

8) 她中学毕业后有什么打算？

对大部分(bù fen)人来说，小时候的梦想(mèng xiǎng)长大后可能会改(gǎi)变(biàn)。我就是一个例子(lì zi)。

我爸爸是一位教授(jiào shòu)，在大学教油画。我妈妈是一位艺术家(yì shù jiā)。从小父母就希望我能成为画家(huà jiā)，但是听

外婆说，上幼稚园(yòu zhì yuán)时我什么都喜欢，就是(jiù shì)不愿意画画儿。上小学后，受(shòu)父母影响，我才开始对绘画(huì huà)感兴趣。上初中后，我的数学成绩很好，经常参加市里的奥林(ào lín)

匹克(pǐ kè)数学竞赛(jìng sài)，有一次还得了第一名(míng)。那时我的理想是做数(shù)学家(xué jiā)。

去年，我又爱上了医学(yī xué)。我读了一些有关(yǒu guān)医学的书，还订了两本医学杂志。从这个学期开始，我每个星期六都去医院见习(jiàn xí)。中学毕业后，我打算去学医。希望我可以进世界一流的医学院。

11 用所给结构及词语完成句子

结构：对大部分人来说，小时候的梦想长大后可能会改变。

1) 对很多人来说，_____。（家庭幸福）

2) 对一些学生来说，_____。（考试）

3) 对外国学生来说，_____。（汉字）

4) 对老师来说，_____。（学生）

5) 对爸爸来说，_____。（工作）

6) 对我来说，_____。（烦恼）

12 用所给结构及词语看图完成句子

结构：我经常参加市里的奥林匹克数学竞赛，有一次还得了第一名。

①  他经常参加奥林匹克物理竞赛。这次……

②  学校运动会上，他跑了100米短跑。他……

③  她上个月参加了歌唱比赛，……

④  姐姐最近参加了绘画比赛，……

13 角色扮演

情景1 你申请去一所小学做义工。

例子：

校长秘书： 你以前做过义工吗？做过什么义工？

你： ……

校长秘书： 你是什么时候做义工的？做了多长时间？

你： ……

校长秘书： 你会说什么语言？你能为我们学校做什么？

你： ……

校长秘书： 你想一周做几天义工？每次做几个小时？

你： ……

校长秘书： 你想做多长时间？

你： ……

校长秘书： 你希望从什么时候开始做义工？

你： ……

情景2 你想参加一个油画班。你去了你家附近的一个绘画中心。

例子：

你： 你们有油画班吗？

秘书： ……

你： 我学过一年油画。我是在学校学的。你觉得我应该参加哪个班？

秘书： ……

你： 这个班一个星期上几次课？哪天上课？什么时候上课？

秘书： ……

你： 每次课多长时间？

秘书： ……

你： 这个班有多少人？

秘书： ……

你： 学费是多少？

秘书： ……

你： 哪天开始上课？我要带什么来上课？

秘书： ……

14 口头报告

要求 说一说你小时候的梦想和现在的理想^{lǐ xiǎng}。

例子：

跟大部分人一样，我小时候的梦想跟现在的理想已经不同了。

上小学以前，我喜欢唱歌、跳舞。听妈妈说，我小时候想当歌手^{gē shǒu}。

上小学以后，妈妈给我买了一架^{jià}钢琴，还请了一位钢琴老师教我弹钢琴。我学了三年钢琴，但是我一点儿都不喜欢弹钢琴。上四年级的时候，我的好朋友学拉小提琴，所以我也让妈妈给我买了一把小提琴。我的小提琴老师教得很好，我也拉得不错。我经常参加比赛，有一次还得了第一名。那时候我的理想是当小提琴家。

上中学以后，我开始对绘画感兴趣。我现在想当画家。中学毕业以后，我打算去美术学院学油画。

你可以用

a) 我从七岁开始练武术^{wǔ dǎ}。那时候我很想当武打明星^{míng xīng}。上中学以后，我就不再练了。

b) 我小时候练过体操^{tǐ cāo}，还参加过表演。那时候我很想参加奥林匹克运动会。上中学以后，我爱上了花样滑冰，对练体操不感兴趣了。

c) 我小时候想做运动员，现在想当演员。我真的很喜欢表演^{biǎo yǎn}！

d) 我是在加拿大出生、长大的。我特别喜欢滑雪。我从五岁就开始滑雪，已经滑了十年了。我滑雪滑得很好，还在市里的滑雪比赛中得过第一名。我的理想是当职业^{zhí yè}滑雪运动员。

e) 我的理想是当商人，因为我父母都是成功^{chéng gōng}的商人。

第四课　旅游

❶ xíng 行 carry out　**❷** zhèng 政 administrative affairs of certain government departments　xíng zhèng 行政 administrative

xíng zhèng qū 行政区 administrative area or region　tè bié xíng zhèng qū 特别行政区 special administrative region

❸ dǎo 岛（島）island　xiāng gǎng dǎo 香港岛 Hong Kong Island　bàn dǎo 半岛 peninsula　lí dǎo 离岛 islets off a big island

❹ jiǔ lóng 九龙 Kowloon　**❺** xīn jiè 新界 New Territories　xiāng gǎng bāo kuò xiāng gǎng dǎo jiǔ lóng bàn dǎo hé xīn jiè 香港包括香港岛、九龙半岛和新界。

❻ sì zhōu 四周 all around　**❼** xǔ 许（許）expressing extent or amount　xǔ duō 许多 lots of

❽ jī 积（積）accumulate　miàn jī 面积 area　xiāng gǎng miàn jī bú dà 香港面积不大。

❾ huá 华（華）China; prosperous　**❿** yì 裔 descendants　huá yì 华裔 foreign citizens of Chinese origin or descent

xiāng gǎng yǒu qī bǎi duō wàn rén qí zhōng bǎi fēn zhī jiǔ shí yī shì huá yì 香港有七百多万人，其中百分之九十一是华裔。 ◀ Note: 百分之九十一 = 91%

⓫ fán huá 繁华 flourishing; bustling　**⓬** dū shì 都市 city; metropolis　**⓭** měi shí 美食 delicious food

⓮ tiān táng 天堂 paradise　xiāng gǎng jì shì měi shí tiān táng yòu shì gòu wù tiān táng 香港既是"美食天堂"又是"购物天堂"。

⓯ jiāo 郊 suburbs　**⓰** yě 野 open country; wild land　jiāo yě 郊野 outskirts; countryside　**⓱** zì rán 自然 nature

⓲ dú tè 独特 unique　xiāng gǎng yǒu xǔ duō jiāo yě gōng yuán nà li de zì rán fēng jǐng fēi cháng dú tè 香港有许多郊野公园，那里的自然风景非常独特。

⓳ nǐ xiǎng chī shén me jiù néng chī dào shén me 你想吃什么就能吃到什么。

▲ **Grammar: Here "什么" means whatever. "就" must be used.**

⓴ xiāng gǎng zǎi 香港仔 Aberdeen (a place in Hong Kong)　㉑ gōng gòng jiāo tōng 公共交通 public transportation　gōng gòng jiāo tōng gōng jiāo 公共交通 = 公交

㉒ dá 达（達）go through to　sì tōng bā dá 四通八达 extend in all directions　xiāng gǎng de gōng gòng jiāo tōng sì tōng bā dá 香港的公共交通四通八达。

㉓ dù 渡 cross　dù lún 渡轮 ferryboat　㉔ qù chù 去处 place　xiāng gǎng shì yí ge lǚ yóu de hǎo qù chù 香港是一个旅游的好去处。

1 上网查资料，用所给结构完成句子

结构：香港面积不大，有七百多万人，其中百分之九十一是华裔。

① 澳门面积很小，有六十二万人，其中……

② 新加坡……

③ 美国……

④ 加拿大……

2 角色扮演

情景 你下个星期要去香港旅游。听说香港是一个"购物天堂"，你打算去那里买一些东西。你去银行换港币。

例子：

你：我要换(huàn)五千港币。

银行职员(zhí yuán)：好。今天美元对港币的汇率(huì lǜ)是一比七点七五。换五千港币要六百四十五块二。

你：给你六百五十块。

银行职员：给你五千港币，找你四块八美元。

你：谢谢。再见！

你可以用

a) 人民币 RMB

b) 美元 US dollar

c) 英镑(yīng bàng) pound sterling

d) 欧元 Euro

e) 卢布(lú bù) Russian ruble

f) 日元 (Japanese) yen

g) 加元 Canadian dollar

h) 澳元 Australian dollar

3 用所给结构完成句子

A 结构：我哪儿都想去。 他什么都想试试。

你几点来我家都可以。 你什么时候去香港都可以。

她哪件衣服都喜欢。 谁都可以参加比赛。

1) 不管遇到什么事＿＿＿＿＿＿＿＿＿＿＿＿＿＿＿＿＿＿＿＿＿。

2) 无论谁提的建议＿＿＿＿＿＿＿＿＿＿＿＿＿＿＿＿＿＿＿＿＿。

3) 这是我第一次来北京，我哪儿＿＿＿＿＿＿＿＿＿＿＿＿＿＿＿＿。

4) 你想看哪部电影＿＿＿＿＿＿＿＿＿＿＿＿＿＿＿＿＿＿＿＿＿＿。

5) 明天你怎么来＿＿＿＿＿＿＿＿＿＿＿＿＿＿＿＿＿＿＿＿＿＿＿。

6) 你什么时候给我打电话＿＿＿＿＿＿＿＿＿＿＿＿＿＿＿＿＿＿＿。

B 结构：你想买什么就能买到什么。 你能写多少就写多少。

我们想几点来就几点来。 你想怎么做就怎么做。

1) 假期里，你想几点起床＿＿＿＿＿＿＿＿＿＿＿＿＿＿＿＿＿＿＿。

2) 学校为我们提供了丰富多彩的课外活动，＿＿＿＿＿＿＿＿＿＿＿。

3) 我家楼下有一家 24 小时便利店，＿＿＿＿＿＿＿＿＿＿＿＿＿＿＿。

4) 妈妈为派对准备了很多好吃的，＿＿＿＿＿＿＿＿＿＿＿＿＿＿＿＿。

5) 图书馆里有很多书，＿＿＿＿＿＿＿＿＿＿＿＿＿＿＿＿＿＿＿＿＿。

6) 我很喜欢吃自助餐，＿＿＿＿＿＿＿＿＿＿＿＿＿＿＿＿＿＿＿＿＿。

40

课文1 14

你能介绍一下香港吗?

香港是中国的特别行政区（tè bié xíng zhèng qū）。香港包括香港岛（xiāng gǎng dǎo）、九龙半岛（jiǔ lóng bàn dǎo）和新界（xīn jiè）。香港四周（sì zhōu）还有许多离岛（xǔ duō lí dǎo）。香港面积（miàn jī）不大，有七百多万人，其中百分之九十一是华裔（huá yì）。

香港一定很繁华（fán huá）吧?

对。香港是一个繁华的都市（dū shì），既是"美食（měi shí）天堂（tiān táng）"又是"购物天堂"。香港还有许多郊野（jiāo yě）公园，那里的自然（zì rán）风景非常独特（dú tè）。

为什么叫香港"美食天堂"、"购物天堂"?

因为在香港有世界各国的饭店。你想吃什么就能吃到什么。在香港，从世界名牌商品到物美价廉的日用百货样样都有。你想买什么就能买到什么。

你最喜欢哪个郊野公园?

我最喜欢香港仔（xiāng gǎng zǎi）郊野公园。

香港的交通方便吗?

香港的公共交通（gōng gòng jiāo tōng）四通八达（sì tōng bā dá）。除了公交（gōng jiāo）车，还有电车、地铁、渡轮（dù lún）等等。香港是一个旅游的好去处（qù chù）。

情景 你想去度假。你跟旅行社的职员(zhí yuán)咨询(zī xún)。

例子：

职员：你想去哪儿旅行？

你：我听说台北(tái běi)是一个旅游的好去处。请你为我介绍一下。

职员：台北在台湾岛的北部，是台湾最大的城市。

你：在台北可以做什么？

职员：你可以去参观故宫博物院(bó wù yuàn)。那是一座艺术宝库(bǎo kù)。你还可以去士林夜市(shì lín yè shì)。那是台北最有名的夜市。在士林夜市你可以买到各种流行服饰(fú shì)，价钱都挺便宜的。在那里，你还可以吃到各种小吃(xiǎo chī)和台湾地道的美食，好吃得不得了。

你：台北的自然风景怎么样？

职员：台北周围的自然风景非常漂亮。我建议你去阳明山(yáng míng shān)国家公园，那里风景优美，还可以泡温泉(pào wēn quán)。

你：听起来不错。……

你可以用

a) 北京是中国的首都。

b) 北京有很多名胜古迹。你可以游览故宫、天安门、颐和园等著名旅游景点。

c) 坐人力车逛北京胡同一定会给你留下深刻(shēn kè)的印象。

d) 北京的古建筑非常独特。

e) 你可以去登长城。长城很长，像一条巨龙一样。

f) 北京是一个既古老又现代的城市。

g) 北京有大商场，也有小商店。你在北京可以买到很多有中国特色(tè sè)的东西。

生词 2 15

1 文明 *wénmíng* civilized; civilization   **2** 古国 *gǔ guó* country with a long history   中国是世界四大文明古国之一。 *zhōng guó shì shì jiè sì dà wén míng gǔ guó zhī yī*

3 称（稱）*chēng* name   全称 *quánchēng* full name   **4** 共和国 *gòng hé guó* republic   中华人民共和国 *zhōng huá rén mín gòng hé guó* the People's Republic of China

5 立 *lì* set up   成立 *chéng lì* establish; found   中华人民共和国 1949 年 10 月 1 日成立。 *zhōng huá rén mín gòng hé guó nián yuè rì chéng lì*

6 平方 *píng fāng* square   **7** 公里 *gōng lǐ* kilometre   **8** 排 *pái* arrange in order   **9** 之后 *zhī hòu* after; afterwards

中国是世界第三大国，排在俄罗斯和加拿大之后。 *zhōng guó shì shì jiè dì sān dà guó pái zài é luó sī hé jiā ná dà zhī hòu*

10 目前 *mù qián* at present   **11** 人口 *rén kǒu* population   **12** 超过 *chāo guò* surpass   **13** 亿（億）*yì* hundred million

14 占（佔）*zhàn* make up   目前中国的人口已经超过了十三亿，占世界人口的五分之一。 *mù qián zhōng guó de rén kǒu yǐ jīng chāo guò le shí sān yì zhàn shì jiè rén kǒu de wǔ fēn zhī yī*

▲ Note: 五分之一 = $\frac{1}{5}$

15 族 *zú* ethnic group   民族 *mín zú* nationality   汉族 *hàn zú* Han nationality

16 少数 *shǎo shù* minority   少数民族 *shǎo shù mín zú* minority nationality   **17** 总 *zǒng* total

18 省 *shěng* province   **19** 治 *zhì* rule; govern   自治区 *zì zhì qū* autonomous region

20 辖（轄）*xiá* govern   直辖市 *zhí xiá shì* municipality directly under the Central Government

21 山地 *shān dì* mountainous region   **22** 原 *yuán* plain; open country   高原 *gāo yuán* plateau   平原 *píng yuán* plain; flatlands

23 形 *xíng* form; shape   地形 *dì xíng* terrain

24 沿海 *yán hǎi* coastal   中国的东南沿海有许多岛。 *zhōng guó de dōng nán yán hǎi yǒu xǔ duō dǎo*

25 台湾（灣）岛 *tái wān dǎo* Taiwan Island   **26** 海南岛 *hǎi nán dǎo* Hainan Island

27 河 *hé* river   河流 *hé liú* rivers   **28** 湖 *hú* lake   **29** 泊 *pō* lake   湖泊 *hú pō* lakes

30 江 *jiāng* river   长江 *cháng jiāng* the Yangtze River   **31** 黄河 *huáng hé* the Yellow River

十亿	亿	千万	百万	十万	万	千	百	十	个	
								3	6	三十六
							5	2	1	五百二十一
						9,	2	0	4	九千二百零四
					7	8,	0	0	0	七万八千
				2	0	0,	5	4	0	二十万零五百四十
			6,	3	8	0,	0	0	0	六百三十八万
		8	1,	4	3	0,	0	0	0	八千一百四十三万
	4	5	3,	0	6	3,	0	0	0	四亿五千三百零六万三千
1,	3	0	0,	0	0	0,	0	0	0	十三亿

1) 231　　　2) 4,816　　　3) 719,800　　　4) 5,496,070

5) 3,854　　　6) 32,900　　　7) 800,000　　　8) 7,050,800

9) $\dfrac{3}{5}$　　　10) $\dfrac{1}{2}$　　　11) 78.5%　　　12) 25%

6 完成句子

例子：中国在亚洲的东南部。

1) 俄罗斯在＿＿＿＿＿＿＿＿＿＿。

2) 加拿大在＿＿＿＿＿＿＿＿＿＿。

3) 美国在＿＿＿＿＿＿＿＿＿＿。

4) 英国在＿＿＿＿＿＿＿＿＿＿。

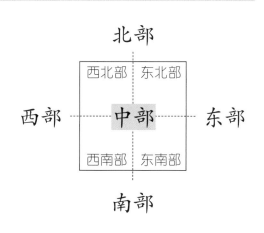

北部

西北部	东北部

西部 ┄┄ 中部 ┄┄ 东部

西南部	东南部

南部

7 小组活动

要求　在规定的时间里上网找答案。

1) 中国是世界四大文明古国之一。其他三个文明古国是 _____

 _____。

2) 全世界大约有 _____ 人。中国是世界上人口最多的国家。

 排在第二的国家是 _____。

3) _____ 是世界第一大国，总面积有 _____ 平方公里。

4) 中国的五个自治区是 _____。

5) 中国的两个特别行政区是 _____。

6) 中国的首都是 _____。那里有 _____ 人。

7) 台湾岛在中国的 _____，总面积有 _____ 平方公里，

 大约有 _____ 人。

8 听课文录音，回答问题

1) 中国的全称叫什么？

2) 中国的面积有多大？

3) 哪些国家比中国大？

4) 目前中国有多少人？

5) 中国有多少个民族？

6) 中国有多少个省？

7) 中国的第一大岛是什么岛？

8) 中国第二大河是什么河？

中国是世界四大文明古国之一。中国的全称叫中华人民
共和国。中华人民共和国 1949 年 10 月 1 日成立。

中国在亚洲的东南部。中国的面积有九百六十万平方公
里，是世界第三
大国，排在俄罗斯
和加拿大之后。目
前中国的人口已经
超过了十三亿，占
世界人口的五分之
一，是世界上人口
最多的国家。中国
是一个多民族国

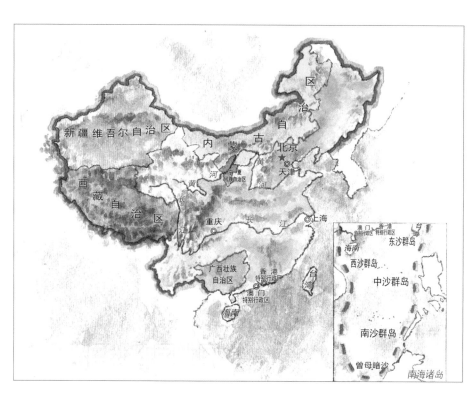

家，一共有五十六个民族，其中汉族人口最多，少数民族人
口占总人口的百分之八点四九。中国有二十三个省、五个自
治区、四个直辖市和两个特别行政区。中国的首都是北京。

中国有山地、高原、平原等各种地形。中国的东南沿海
有许多岛，其中台湾岛最大，海南岛是第二大岛。中国有许
多河流和湖泊。长江是中国第一大河，世界第三大河。黄河
是中国第二大河。

9 小组活动

要求　上网查资料，介绍一个国家。

例子：

- 中国的全称叫中华人民共和国。
- 中国在亚洲的东南部。
- 中国的面积有九百六十万平方公里，是世界第三大国。
- 中国的人口已经超过了十三亿，占世界人口的五分之一，是世界上人口最多的国家。

① **俄罗斯**
- 俄罗斯的全称叫……
- 俄罗斯在……
- 俄罗斯的面积……
- 俄罗斯的人口……

④ **加拿大**
-
-
-
-

② **美国**
- 美国的全称叫……
- 美国在……
- 美国的面积……
- 美国的人口……

⑤ **英国**
-
-
-
-

③ **新加坡**
-
-
-
-

⑥ **你的国家**
-
-
-
-

情景 你刚度假回来。你很喜欢那个地方，建议同学也去那里旅游。

例子：

你：我刚从海南岛度假回来。海南岛真是一个旅游的好去处！

同学：海南岛在哪里？

你：在中国的最南边，是中国第二大岛。

同学：那里有什么好玩的？

你：海南岛有山地、平原等地形。岛上有一百多条河。游客（yóu kè）可以爬山，还可以做很多水上运动，比如乘快艇、乘摩托艇、钓鱼等。三亚有中国最美的海滩。

同学：听起来很好玩。海南岛有什么特产？

你：……

海南岛

- 海南岛是中国第二大岛，是中国最南边的一个省。
- 海南岛的面积有三点五万平方公里，有八百六十多万人。
- 海南岛有山地、平原等地形。岛上有一百多条河。
- 海南岛长夏无冬，是一个旅游的好去处。
- 海南岛的特产（tè chǎn）有热带（rè dài）水果和海鲜（hǎi xiān）。
- 海口（hǎi kǒu）是海南岛的省会（shěng huì）。在那里可以看火山口（huǒ shān kǒu）、看古建筑、观赏热带植物（zhí wù）。
- 三亚（sān yà）有中国最美的海滩（hǎi tān）。
- 在亚龙湾（yà lóng wān）可做很多水上运动，比如潜水（qián shuǐ）、冲浪（chōng làng）、游泳、乘快艇（kuài tǐng）、乘摩托艇（mó tuō tǐng）、钓鱼（diào yú）。

11 根据实际情况回答问题

1) 你去过中国吗？去过几次？最近一次是什么时候？你是跟谁一起去的？去了哪几个城市？待了几天？你们在中国期间天气怎么样？

2) 你们在中国期间坐过高铁吗？你们一般乘坐什么交通工具？

3) 你们在中国期间住在哪里？你们住过公寓式酒店吗？

4) 你去过北京吗？北京是一座什么样的城市？北京有哪些著名的旅游景点？在北京期间，你吃了什么美食？买了什么纪念品？你对北京的印象怎么样？

5) 如果有机会去上海旅行，你会去吗？你打算什么时候去？去几天？去哪些景点？你想吃些什么？想买些什么？

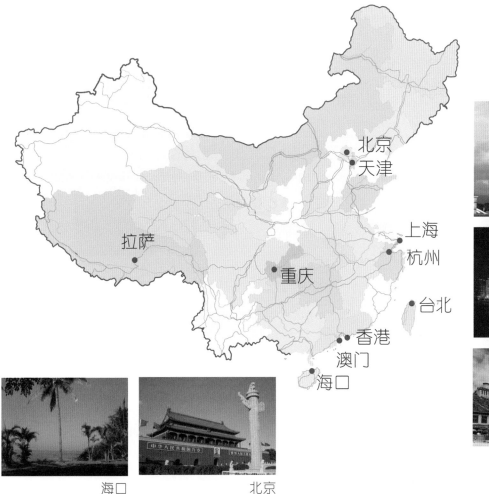

北京
天津
拉萨
上海
杭州
重庆
台北
香港
澳门
海口

海口

北京

台北

ào mén
澳门

lā sà
拉萨

第五课 游学

① 麻烦 *má fan* bother (someone)　　**②** 游学 *yóu xué* study tour　麻烦您给我介绍一下上海游学计划。

③ 文化 *wén huà* culture　这个游学计划包括两个部分：汉语课和文化课。

④ 困 *kùn* difficulty　困难 *kùn nan* difficulty

在汉字学习方面，我遇到了一些困难。我总是记不住汉字，学了就忘。

▲ Grammar: a) "不住" serves as the complement of potential.
b) Pattern: Verb+ 得 / 不 + Complement of Result

⑤ 初级 *chū jí* elementary　**⑥** 方 *fāng* method　**⑦** 法 *fǎ* method　方法 *fāng fǎ* method　**⑧** 内容 *nèi róng* content

⑨ 呢 *ne* a particle　文化课包括什么内容呢？

▲ Grammar: "呢" can be put at the end of a question to indicate a leisurely tone.

⑩ 筝（箏）*zhēng* ancient Chinese zither　风筝 *fēngzheng* kite　**⑪** 剪 *jiǎn* cut (with scissors)　剪纸 *jiǎn zhǐ* paper-cut

⑫ 京剧 *jīng jù* Beijing opera　**⑬** 谱（譜）*pǔ* manual; guide　脸谱 *liǎn pǔ* types of facial make-up in Chinese operas

⑭ 杂技 *zá jì* acrobatics　**⑮** 表演 *biǎo yǎn* performance　**⑯** 安排 *ān pái* arrange　周末会安排你们看杂技表演。

⑰ 滩（灘）*tān* beach　外滩 *wài tān* the Bund (in Shanghai)　**⑱** 东方 *dōng fāng* east

⑲ 珠 *zhū* pearl　明珠 *míng zhū* bright pearl　**⑳** 塔 *tǎ* tower　东方明珠电视塔 *dōng fāng míng zhū diàn shì tǎ* Oriental Pearl TV Tower

㉑ 庙（廟）*miào* temple　城隍庙 *chéng huáng miào* town god's temple　**㉒** 狮子 *shī zi* lion　狮子头 *shī zi tóu* large meatball

㉓ 色 *sè* kind　特色 *tè sè* distinctive feature

㉔ 好 *hǎo* so that　您再给我介绍一下上海的天气吧！我好决定什么时候去。

㉕ 暖和 *nuǎn huo* warm　**㉖** 凉（涼）*liáng* cool; cold　凉快 *liáng kuai* nice and cool

1 用所给结构及词语看图说话

结构：我总是记不住汉字，学了就忘。

香港是"购物天堂"，什么都买得到。

① 画　完 我今天可能画不完这幅水彩画。		④ 买　到	
② 看　完		⑤ 吃　完	
③ 写　完		⑥ 考　上	

2 小组活动

要求 列出去中国各地游学的文化活动。

文化课

- 画京剧脸谱
-
-
-
-
-

各地的旅游景点

- 北京：故宫
- 上海：
- 哈尔滨：
- 西安：
- 香港：
- 台北：

3 用所给结构完成句子

结构：文化课包括什么内容呢？

1) 你大学想学 _____ 专业 ____ ？

2) 你大学毕业后想去 _____ 工作 ____ ？

3) _____ 叫香港 "美食天堂" ____ ？

4) 你 _____ 不发表意见 ____ ？

5) 你 _____ 总是跟哥哥吵架 ____ ？

6) 对你影响最大的人是 _____ ？

4 口头报告

要求　选一个中国的城市，介绍它的地理
位置和气候。
wèi zhì　qì hòu

例子：

　　上海在中国的东南部。上海一年
有四个季节：春天、夏天、秋天和冬
天。上海的春秋比较短，冬夏比较长。

　　上海的四季很分明。春天挺暖和
的，常常下雨，气温一般在十五度左
右。……

你可以用

a) 北京的秋天常常是晴天。

b) 北京的夏天很少下雨。

c) 台北的夏天常常有台风。

d) 西安的冬天很冷，气温
在五度到零下十度之
间。

e) 南京的秋天天气最好，
不冷也不热。

f) 上海的秋天气温在十度
到十八度之间。

g) 哈尔滨的冬天特别冷，
还常常下雪。

麻烦您给我介绍一下上海游学计划。
má fan　　　　　　yóu xué

这个游学计划包括两个部分：汉语课和文化课。
wén huà

我只学过一个学期汉语。在汉字学习方面，我遇到了一些困难。我总是记不住汉字，学了就忘。
kùn nan

那你可以参加初级班。我们的老师会教你记汉字的好方法。
chū jí　　　　fāng fǎ

文化课包括什么内容呢？
nèi róng ne

文化课包括做风筝、剪纸、画京剧脸谱、画国画、写毛笔字等。周末会安排你们看杂技表演，游览外滩、东方明珠电视塔、城隍庙等景点。你们还有机会品尝上海美食，比如小笼包、狮子头等。
fēngzheng　jiǎn zhǐ　　jīng jù liǎn pǔ　ān pái　zá jì biǎo yǎn　wài tān　dōngfāngmíng zhū diàn shì tǎ　chénghuángmiào　shī zi tóu

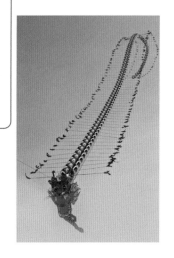

听起来很有特色。您再给我介绍一下上海的天气吧！我好决定什么时候去。
tè sè　　　hǎo

上海的春天挺暖和的。夏天非常热，气温常常在三十度以上。秋天很凉快。冬天不太冷，气温在零度左右。建议你春天或者秋天去。
nuǎn huo　　　liáng kuai

5 用所给结构及词语完成句子

结构：您再给我介绍一下上海的天气吧！我好决定什么时候去。

1) 快把碗筷摆好，我们好_____。（吃饭）

2) 你先告诉我你打算在北京待几天，_____。（安排）

3) 快把作业做完，_____。（看电影）

4) 我想把数码相机带上，_____。（拍照片）

5) 请把毛笔、墨水、纸准备好，_____。（写毛笔字）

6 角色扮演

情景 你给负责游学团(yóu xué tuán)的王小姐打电话咨询。可以参用以下问题。

1) 这个游学团包括几个部分？

2) 学生每天都上汉语课吗？一天上几个小时汉语课？

3) 文化课包括什么内容？

4) 周末有什么活动？

5) 学生住在哪里？

6) 团费(tuán fèi)是多少钱？

北京九日游学团

日期：10月24至11月1日

团费：12,000人民币
（包括食宿(shí sù)、门票(mén piào)和交通费）

汉语课：周一至周五 8:30-12:30

文化课：周一至周五 13:30-16:30
做风筝、画京剧脸谱、画国画、写毛笔字、剪纸、练武术、跳民族舞

旅游：周末
游览长城、颐和园、故宫、天安门广场、胡同、奥林匹克公园、鸟巢(niǎo cháo)、水立方(shuǐ lì fāng)，参观北京大学，观看杂技表演

住宿：北京大学学生宿舍(sù shè)

生词 2 19

① 普 *pǔ* general; common 　 普通 *pǔ tōng* ordinary; common 　 普通话 *pǔ tōng huà* putonghua, common speech (of the Chinese Language)

② 官 *guān* government official 　 官方 *guānfāng* official 　 汉语普通话是中国的官方语言。 *hàn yǔ pǔ tōng huà shì zhōng guó de guānfāng yǔ yán*

③ 陆（陸）*lù* land 　 大陆 *dà lù* continent; mainland 　 ④ 马来西亚 *mǎ lái xī yà* Malaysia

⑤ 使 *shǐ* use 　 使用 *shǐ yòng* use 　 ⑥ 读音 *dú yīn* pronunciation 　 ⑦ 拼 *pīn* put together 　 拼音 *pīn yīn* Pinyin

⑧ 示 *shì* show 　 表示 *biǎo shì* express; show 　 汉语的读音可以用拼音表示。 *hàn yǔ de dú yīn kě yǐ yòng pīn yīn biǎo shì*

⑨ 声（聲）*shēng* tone 　 ⑩ 调 *diào* tone 　 声调 *shēngdiào* tone 　 普通话有四个声调。 *pǔ tōng huà yǒu sì ge shēngdiào*

⑪ 确（確）*què* true 　 正确 *zhèng què* correct 　 ⑫ 发音 *fā yīn* pronunciation 　 ⑬ 词（詞）*cí* word

⑭ 多数 *duō shù* majority; most 　 大多数 *dà duō shù* great majority 　 ⑮ 由 *yóu* by

⑯ 组成 *zǔ chéng* consist of 　 汉语的词大多数是由两个或两个以上汉字组成的。 *hàn yǔ de cí dà duō shù shì yóu liǎng ge huò liǎng ge yǐ shàng hàn zì zǔ chéng de*

▲ **Grammar: Pattern: ... 由 ... 组成**

⑰ 例如 *lì rú* for example 　 ⑱ 当 *dāng* when; while 　 ⑲ 句 *jù* sentence 　 句子 *jù zi* sentence 　 ⑳ 猜 *cāi* guess

㉑ 大意 *dà yì* general idea; main points

当你知道一个句子里每个词的意思时，差不多就能猜出这个句子的大意了。 *dāng nǐ zhī dào yí ge jù zi li měi ge cí de yì si shí chà bu duō jiù néng cāi chū zhè ge jù zi de dà yì le*

▲ **Grammar: Pattern: 当 ... 时**

㉒ 文字 *wén zì* characters 　 汉字是世界上最古老的文字之一。 *hàn zì shì shì jiè shang zuì gǔ lǎo de wén zì zhī yī*

㉓ 简体字 *jiǎn tǐ zì* simplified Chinese characters 　 ㉔ 繁体字 *fán tǐ zì* traditional Chinese characters

㉕ 总数 *zǒng shù* total 　 汉字的总数超过八万个，但是常用字只有三千五百个左右。 *hàn zì de zǒng shù chāo guò bā wàn ge dàn shì chángyòng zì zhǐ yǒu sān qiān wǔ bǎi ge zuǒ yòu*

㉖ 懂 *dǒng* understand 　 ㉗ 书报 *shū bào* books and newspapers 　 ㉘ 章 *zhāng* chapter 　 文章 *wén zhāng* article

7 用所给结构看图完成句子

结构：汉语的词大多数是由两个或两个以上汉字组成的。

①

中华民族……

②

香港……

③

学校的网球队……

④

游学计划……

8 小组活动

要求 在规定的时间里找到相应的简体字。

1) 車→　　　2) 畫→　　　3) 區→

4) 鳥→　　　5) 飛→　　　6) 國→

7) 馬→　　　8) 兒→　　　9) 來→

10) 門→　　11) 兩→　　12) 愛→

13) 書→　　14) 亞→　　15) 習→

9 用所给结构及词语完成句子

结构：当你知道一个句子里每个词的意思时，差不多就能猜出这个句子的大意了。

1) 当你学会了三千五百个常用汉字时，_____。（看懂）

2) 当我生病时，_____。（照顾）

3) 当我不快乐时，_____。（聊）

4) 当我遇到烦恼时，_____。（讲）

5) 当她遇到困难时，_____。（帮）

6) 当他获得男子网球单打冠军时，_____。（跳）

10 听课文录音，回答问题

1) 哪些国家和地区使用汉语？

5) 汉字的历史有多长？

2) 汉语的读音可以用什么表示？

6) 哪些地区使用繁体字？

3) 汉语的词一般由几个字组成？

7) 汉字中有多少个常用字？

4) 汉语的语法难不难？

8) 学会常用字后可以做什么？

汉语普通话是中国的官方语言。目前中国大陆、香港、澳门、台湾、新加坡和马来西亚都使用汉语。

汉语的读音可以用拼音表示。普通话有四个声调。正确的发音和声调十分重要。

汉语的词大多数是由两个或两个以上汉字组成的，例如"语言"、"出租车"、"四通八达"。差不多每个汉字都有意思。

汉语的语法不太难。当你知道一个句子里每个词的意思时，差不多就能猜出这个句子的大意了。

汉字大约有三千年的历史，是世界上最古老的文字之一。目前中国大陆、新加坡和马来西亚使用简体字，香港、澳门和台湾使用

繁体字。汉字的总数超过八万个，但是常用字只有三千五百个左右。学会了这三千五百个字后，你就能看懂中文书报、用中文写文章了。

11 口头报告

要求 你的朋友没有学过汉语。你给他 / 她介绍一下汉语。可以参用以下问题。

1) 你已经学了几年汉语了？你学得怎么样？你为什么学汉语？

2) 汉语的发音难吗？普通话一共有几个声调？

3) 汉语的语法难学吗？

4) 汉字难写吗？汉字难记吗？

5) 汉字一共有多少个？常用字一共有多少个？你学了多少个汉字了？

6) 汉字有简体字和繁体字。哪些国家使用简体字？你学的是简体字还是繁体字？

例子：

　　我从小学三年级开始学汉语，已经学了八年了。

　　在小学，每个学生都要学汉语。我们每天都有一节汉语课。那时候我的汉语学得不好。

　　上中学后，我慢慢地开始对汉语感兴趣。现在我的汉语成绩不错。……

你可以用

a) 我觉得汉字不难写，但是很难记。

b) 我认为汉语很有用。如果会说汉语，我可以去中国读大学。大学毕业以后，我还可以留在中国工作。

c) 我汉语学得不错。书报上简单的文章我都看得懂。

d) 我已经学了一千多个汉字、几千个词了。

e) 普通话有四个声调。

f) 正确的发音很重要。如果发音不正确，别人可能会听不懂。

1) 你有没有去过中国？你是哪年去的？你去了哪个城市？待了多长时间？你对那里的印象怎么样？

2) 你去过上海吗？上海有哪些旅游景点？如果去上海，你想游览哪些景点？想吃什么美食？你会选择哪个季节去？为什么？

3) 你去过北京吗？北京有哪些有名的旅游景点？你最喜欢哪个景点？你吃过北京烤鸭吗？北京烤鸭好吃吗？

4) 除了上海和北京以外，你还去过中国的哪些地方？

5) 如果明年暑假有机会去中国旅行两个星期，你会去吗？你想去哪个城市？为什么想去那里？

你可以用

a) 去年寒假我参加了一个汉语游学团。我在北京学了十天汉语。

b) 我对北京的印象非常好。北京有很多名胜古迹，比如长城、颐和园、故宫等。北京还有很多美食。我最爱吃烤鸭。

c) 北京是一个既古老又现代的城市。北京有很多独特的古建筑，也有现代化的高楼。

d) 我最喜欢长城。长城很长，像一条巨龙一样。

e) 北京人很热情、很友好。

13 小组活动

A 写缩写

例子：奥林匹克运动会 → 奥运会

1) 电子邮件　　2) 北京大学

3) 公共交通　　4) 人民警察

5) 第一中学　　6) 清华大学

B 猜意思

例子：T 恤衫 → T-shirt

1) U 盘　　2) K 歌　　3) B 超　　4) PC 机　　5) ATM 机　　6) SIM 卡^{kǎ}

C 猜意思

例子：粉丝 → fans

1) 卡通　　2) 卡路里　　3) 三文鱼　　4) 考拉

5) 芒果
máng guǒ　　6) 吉普车
jí pǔ chē　　7) 芭蕾舞
bā lěi wǔ　　8) 咖喱
gā lí

14 口头报告

要求　介绍你的母语。你要介绍：

• 哪些国家 / 地区使用这种语言
• 这种语言有多少年的历史
• 这种语言有多少个常用词
• 这种语言的语法难不难

例子：

　　我会说英语、汉语和一点儿法语。今天我来介绍一下法语。法语是法国的官方语言。……等地也使用法语。……

生词 1

duǎn xùn bān
❶ 短训班 short-term training course

qiáng
❷ 强（強）strong

huà
❸ 化 -ize; -ify

qiáng huà
强化 strengthen

shuǐ píng
❹ 水平 standard; level

tí gāo
❺ 提高 improve

tōng guò yí ge yuè de qiáng huà xùn liàn　wǒ de hàn yǔ shuǐ píng tí gāo le bù shǎo
通过一个月的强化训练，我的汉语水平提高了不少。

jù tǐ
❻ 具体 specific

qǐng gěi wǒ jù tǐ jiè shào yí xià
请给我具体介绍一下。

jiǎng kè
❼ 讲课 teach; lecture

kè shang lǎo shī yòng hàn yǔ jiǎng kè
课上老师用汉语讲课。

dá
❽ 答 answer

huí dá
回答 answer

tīng xiě
❾ 听写 dictation

kǒu tóu
❿ 口头 oral

bào gào
⓫ 报告 report

bàn
⓬ 办（辦）handle

tīng lì
⓭ 听力 listening comprehension

kǒu yǔ
⓮ 口语 spoken language

néng lì
⓯ 能力 ability

xià lai
⓰ 下来 end

yí ge yuè xià lai　wǒ de tīng lì hé kǒu yǔ néng lì yǒu le hěn dà de tí gāo
一个月下来，我的听力和口语能力有了很大的提高。

lì
⓱ 利 smooth

liú lì
流利 fluent

xiàn zài wǒ shuō hàn yǔ shuō de bǐ yǐ qián liú lì le
现在我说汉语说得比以前流利了。

zhǔn
⓲ 准 accurate

Grammar: Sentence Pattern: A(+ Verb + Object) + Verb + 得 + 比 + B + Adjective

zào
⓳ 造 make

zào jù
造句 make sentences

fān
⓴ 翻 translate; interpret

yì
㉑ 译 translate; interpret

fān yì
翻译 translate; interpret

piān
㉒ 篇 a measure word (used for writing)

liǎng piān wén zhāng
两篇文章

shēng
㉓ 生 not familiar

shēng cí
生词 new word

chāo
㉔ 抄 copy

rú guǒ yù dào shēng zì　shēng cí　wǒ men yào bǎ tā chāo dào shēng zì běn shang
如果遇到生字、生词，我们要把它抄到生字本上。

Grammar: Sentence Pattern: Subject + 把 + Object + Verb + 到 / 在 / 给 / 成 + Other Elements

biàn
㉕ 遍 time; a measure word (denoting an action from beginning to end)

wǒ men měi ge shēng cí chāo shí biàn
我们每个生词抄十遍。

Grammar: a) "十遍" serves as the complement of quantity (frequency).
b) Pattern: Verb + Complement of Quantity (Frequency)

zuò wén
㉖ 作文 composition

xué fèi
㉗ 学费 tuition fee

zhí
㉘ 值 be worth

zhí dé
值得 be worth

duǎn xùn bān de xué fèi tǐng guì de　dàn shì hěn zhí dé
短训班的学费挺贵的，但是很值得。

1 用所给结构及词语看图完成句子

结构：<u>一个月下来</u>，我的听力和口语能力有了很大的提高。

①  提高

我每个星期都翻译一篇文章。半年下来，……

②  流利

我一有机会就说汉语。一个学期下来，……

③  写

我每天都抄半个小时汉字。三个月下来，……

④  学

我每天都学十个生词。一个月下来，……

2 小组活动

要求 说一说你们的汉语课。

在汉语课上，你们做什么？
• 用汉语问问题
•
•
•
•
•
•
•

你们要做什么汉语作业？
• 抄生字、生词
•
•
•
•
•
•
•

3 用所给结构及词语看图完成句子

结构：现在我<u>说汉语说得</u>比以前流利了。

①  他打羽毛球
......

②  他弹钢琴
......

③ 他下国际象棋
......

④ 她写作文
......

4 用所给结构及词语完成句子

结构：如果遇到生字、生词，我们要把它<u>抄到生字本上</u>。

1) 旅行前我们不得不_____。（小狗　送　寄养中心）

2) 你现在_____。（脏衣服　放　洗衣机）

3) 我们_____。（蔬菜　放　冰箱）

4) 我们应该_____。（电扇　放　客厅）

5) 你可以_____。（花　放　阳台）

6) 不要_____。（数码相机　放　行李箱）

7) 请你们_____。（名字　写　本子）

8) 请帮我_____。（这幅国画　挂　墙）

课文1 22

听说你参加了一个汉语短训班。你觉得怎么样?
_{duǎn xùn bān}

通过一个月的强化训练,我的汉语水平提高了不少。
_{qiáng huà} _{shuǐ píng tí gāo}

请给我具体介绍一下。
_{jù tǐ}

短训班要求我们只能用汉语。课上老
师用汉语讲课,我们用汉语回答问
_{jiǎng kè} _{huí dá}
题。我们每天还有听写和口头报告。
_{tīng xiě} _{kǒu tóu bào gào}

如果你听不懂老师讲课,怎么办?
_{bàn}

我会问老师。

你们课下也用汉语吗?

我们课下也要用汉语。一个月下来,我的听力和口语
_{xià lai} _{tīng lì} _{kǒu yǔ}
能力有了很大的提高。现在我说汉语说得比以前流利
_{néng lì} _{liú lì}
了,发音更准了。别人说的话我也差不多都听得懂了。
_{zhǔn}

你们每天要做什么作业?

除了造句、翻译,我们每天还要读两篇文章。如果
_{zào jù} _{fān yì} _{piān}
遇到生字、生词,我们要把它抄到生字本上,每个
_{shēng cí} _{chāo}
生词抄十遍。每个周末我们还要写一篇作文。
_{biàn} _{zuò wén}

听起来不错。学费贵吗?
_{xué fèi}

挺贵的,但是很值得。你也应该参加这个短训班。
_{zhí dé}

5 翻译

1) 这本书我看了两遍。

2) 这部电影他看了三遍。

3) 我去过三次北京。

4) 我参加过一次汉语短训班。

5) 他参加过两次奥运会。

6) 我每天都带狗散两次步。

6 口头报告

要求 说一说你今年的汉语学习。

• 你一周有几节汉语课

• 你课上、课下怎么学汉语

• 你觉得汉语哪方面比较难学

• 你经常有测验/考试吗

• 你的汉语成绩怎么样

例子：

我们每个星期有三节汉语课。课上，老师一般用汉语讲课。如果我们听不懂，他会用英语再讲一遍。我们在课上经常做听力练习、造句练习、翻译练习等等。我们还有很多小组活动和小任务。课下，我……

你可以用

a) 我们经常有汉语测验。我的测验成绩挺不错的。

b) 我是一个努力学习的人。我一般会在考试前两个星期开始复习，所以我每次考试都能得九十多分。

c) 我觉得汉字不难写，但是很难记。

d) 我觉得汉语拼音不难，但是声调很难。我总是记不住生词的声调。

e) 我认为写作文最难。好多词我都不会，好多字我都写不出来。

生词 2 🎧 23

1 收获（穫）shōu huò gains　　**2** 逼 bī force　小时候每个周末父母都逼着我上汉语班。
xiǎo shí hou měi ge zhōu mò fù mǔ dōu bī zhe wǒ shàng hàn yǔ bān

3 认识 rèn shi understand; know

4 性 xìng a noun-forming suffix　重要性 zhòng yào xìng importance　那时我还没有认识到学汉语的重要性。
nà shí wǒ hái méi yǒu rèn shi dào xué hàn yǔ de zhòng yào xìng

5 哭 kū cry; weep　　**6** 以为 yǐ wéi think; believe　　**7** 浪 làng unrestrained　浪费 làng fèi waste

8 效 xiào effect　效果 xiào guǒ effect; result　有效 yǒu xiào effective　　**9** 原来 yuán lái as it turns out to be

10 体会 tǐ huì know (from experience)　我体会到原来强化学习汉语很有效。
wǒ tǐ huì dào yuán lái qiáng huà xué xí hàn yǔ hěn yǒu xiào

11 发现 fā xiàn find　　**12** 项（項）xiàng a measure word (used of itemized things)　　**13** 技能 jì néng skill

14 相当 xiāngdāng quite　我发现我的听、说、读、写四项技能都得到了相当大的提高。
wǒ fā xiàn wǒ de tīng shuō dú xiě sì xiàng jì néng dōu dé dào le xiāngdāng dà de tí gāo

15 阅（閱）yuè read　阅读 yuè dú read　　**16** 写作 xiě zuò writing　　**17** 汇（彙）huì collection　词汇 cí huì vocabulary

18 增 zēng increase　　**19** 加 jiā increase　增加 zēng jiā increase　我的词汇量增加了。
wǒ de cí huì liàng zēng jiā le

20 错别字 cuò bié zì wrongly written character　　**21** 养 yǎng form; cultivate　　**22** 成 chéng complete

23 过程 guò chéng course; process　在暑期班学习的过程中，我还养成了一些好的学习习惯。
zài shǔ qī bān xué xí de guò chéngzhōng wǒ hái yǎngchéng le yì xiē hǎo de xué xí xí guàn

▲
Grammar: Pattern: 在 ... 的过程中

24 背 bèi recite　　**25** 单词 dān cí word　　**26** 坚（堅）jiān firm　坚持 jiān chí persist in; persevere in

27 下去 xia qu indicate the continuation of an action　相信只要坚持下去，我的汉语就一定会有更大的进步。
xiāng xìn zhǐ yào jiān chí xia qu wǒ de hàn yǔ jiù yí dìng huì yǒugèng dà de jìn bù

▲
Grammar: a) Pattern: Verb + 下去
b) This pattern is used to indicate a continuation
of an action from present to the future.

要求 说一说你在学习汉语的过程中遇到了哪些困难，你有什么有效的学习方法。

听力方面

遇到的困难	有效的学习方法
• • •	• • •

口语方面

遇到的困难	有效的学习方法
• • •	• • •

阅读方面

遇到的困难	有效的学习方法
• • •	• • •

写作方面

遇到的困难	有效的学习方法
• • •	• • •

你可以用

a) 如果别人说汉语说得比较快，我就听不懂了。

b) 我的发音不准，声调也常常说错。

c) 我没有机会说汉语。

d) 因为我的词汇量很小，所以用普通话聊天儿时经常不知道该怎么说。

e) 我的阅读能力很差。如果文章里的生字、生词比较多，我就看不懂了。

f) 有时候一个句子里每个字我都认识，但还是不明白句子的意思。我觉得很头疼。

g) 我写作文时常常写错字。

h) 我每天都背十个生词，周末复习这些生词。一个学期下来，我的词汇量增加了不少。阅读和写作水平也提高了。

小任务 写出六个有效的汉语学习方法，然后试用一下。

8 用所给结构及词语完成句子

结构：相信只要<u>坚持下去</u>，我的汉语就一定会有更大的进步。

1) 这个足球队我会_____。（支持）

2) 虽然写毛笔字很累，但是我一定会_____。（练）

3) 慈善工作我一定会_____。（做）

4) 汉语很有用，我一定会继续_____。（学）

5) 她很喜欢这个地方，打算_____。（住）

6) 这本小说很没意思，我不想_____。（读）

7) 这部电影一点儿都不好看，我_____。（看）

9 听课文录音，回答问题

1) 豆豆小时候为什么不喜欢学汉语？

2) 她小时候的汉语成绩怎么样？

3) 她今年暑假做了什么？

4) 她为什么觉得强化学习汉语很有效？

5) 一个月下来，她的听力和口语能力有了什么提高？

6) 她的阅读和写作能力有了什么提高？

7) 她在汉语暑期班期间每天做什么？

8) 她每个周末做什么？

豆豆的博客

参加"汉语暑期班"的收获（2015-08-10 21:14:20）

小时候每个周末父母都逼着我上汉语班。因为那时我还没有认识到学汉语的重要性，所以常常一边抄生字一边哭。我的汉语成绩也不太好。

今年暑假，我参加了上海的汉语暑期班。我一直以为参加这样的汉语班只是浪费时间，不会有什么效果，但是通过一个月的学习，我体会到原来强化学习汉语很有效。我发现我的听、说、读、写四项技能都得到了相当大的提高。

在听力和口语方面，我能听懂别人说话的大意了，说汉语也更自信了。在阅读和写作方面，我的词汇量增加了，作文里的错别字也比以前少了。

在暑期班学习的过程中，我还养成了一些好的学习习惯。我每天都背单词、造句、读课文，每个周末都读汉语文章、写作文。相信只要坚持下去，我的汉语就一定会有更大的进步。

10 完成句子

① 我一直以为参加这样的……

② 我体会到原来……

③ 我发现……

④ 相信只要……

11 用所给结构及词语看图完成句子

结构：在暑期班学习的过程中，我还养成了一些好的学习习惯。

①
除了……
以外，……
学习 参加

在申请大学的过程中，我体会到……

② 不但……，
而且……
提高 了解

在游学的过程中，我……

③
不但……，
而且……
了解 学会

在见习的过程中，我……

④
不但……，
而且……
帮助 培养

在做义工的过程中，我……

情景1 这次汉语考试你得了50分，不及格。老师找你了解一下情况。

例子：

老师：这次汉语考试你没及格，能不能说一下原因？

你：……

老师：你课上听得懂吗？

你：……

老师：你觉得汉语哪方面最难学？

你：……

老师：你做家庭作业时常遇到困难吗？

你：……

老师：如果遇到困难，你怎么办？

你：……

老师：你课下自己学汉语吗？

你：……

老师：你课下怎么学汉语？

你：……

老师：你喜欢学汉语吗？

你：……

情景2 你看到豆豆写的"汉语暑期班"的博客，对汉语暑期班很感兴趣。

例子：

你：我也想去上海参加汉语暑期班。你觉得怎么样？

豆豆：……

你：你觉得我应该参加初级班还是中级班？

豆豆：……

你：暑期班什么时候开始上课？

豆豆：……

你：一天上几个小时汉语课？

豆豆：……

你：除了汉语课以外，还有别的课吗？

豆豆：……

你：周末有机会游览上海的名胜古迹吗？

豆豆：……

你：学费贵吗？多少钱？

豆豆：……

13 口头报告

要求 说一说你对学习汉语的看法，并跟同学分享一些有效的学习方法。

例子：

我是华裔子弟（zǐ dì）。父母从小就告诉我学习汉语的重要性。虽然汉语是世界上最难学的语言之一，但是我觉得汉语很有意思，一直都很喜欢学汉语。

为了提高汉语水平，除了在学校用心（yòng xīn）学习以外，我还常看中文电影。看电影时，我一边认真听一边看中文字幕（zì mù），培养语感。如果看到生字、生词，我会把它们抄在生字本上，多读几遍，努力把它们记住。我还订了一本中文杂志。如果遇到不认识的字、词，我会查电子（diàn zǐ）词典。……我深深地体会到学汉语要同时（tóng shí）用眼、耳、手和口。

明年我打算去中国参加一个汉语短训班，希望能提高我的口语和写作水平。

你可以用

a) 我父母经常提醒我要认真学汉语。

b) 学习一种外语，可以让我们进入（jìn rù）另一个世界。

c) 学汉语时，正确的发音很重要。

d) 学汉语要多听、多说、多读、多写。每天都要练习。

e) 我在网上交了一个中国朋友。我经常在网上跟他用汉语聊天儿。

f) 我每天都听课文录（lù）音，还跟着读。为了培养语感（yǔ gǎn），我还常看中文电影、听中文歌。

第七课　中国美食

生词 1 25

① 南方 *nán fāng* south　南方人 *nán fāng rén* southerner　**②** 北方 *běi fāng* north　北方人 *běi fāng rén* northerner

③ 饮食 *yǐn shí* food and drink; diet　中国的南方人和北方人在饮食习惯上很不同。
zhōng guó de nán fāng rén hé běi fāng rén zài yǐn shí xí guàn shang hěn bù tóng

▲ **Grammar: a) Pattern: 在 ... 上**
b) This pattern indicates "in the aspect of...".

④ 种类 *zhǒng lèi* variety　早餐的种类特别多。 *zǎo cān de zhǒng lèi tè bié duō*

⑤ 馄（餛）饨（飩） *hún tun* wonton　**⑥** 油条 *yóu tiáo* deep-fried twisted dough sticks　**⑦** 馒（饅）头 *mán tou* steamed bun

⑧ 煎 *jiān* fry in shallow oil　煎蛋 *jiān dàn* fried egg　煎饼 *jiān bing* thin pancake

⑨ 果子 *guǒ zi* deep-fried doughnut　煎饼果子 *jiān bing guǒ zi* fried pancake rolled up with egg filling

⑩ 面食 *miàn shí* cooked wheaten food　**⑪** 浆（漿） *jiāng* thick liquid　豆浆 *dòu jiāng* soybean milk

⑫ 酱（醬） *jiàng* things pickled; sauce　酱菜 *jiàng cài* pickles　甜面酱 *tián miàn jiàng* sweet sauce made of fermented flour　果酱 *guǒ jiàng* jam

⑬ 花生 *huā shēng* peanut　花生酱 *huā shēng jiàng* peanut butter

⑭ 椒 *jiāo* any of hot spice plants　辣椒 *là jiāo* chilli; hot pepper　辣椒酱 *là jiāo jiàng* chilli sauce　**⑮** 黄油 *huáng yóu* butter

⑯ 薄 *báo* thin　**⑰** 抹 *mǒ* put on　**⑱** 葱 *cōng* green onion　葱花 *cōng huā* chopped green onion　**⑲** 卷 *juǎn* roll (up)

煎饼果子是在一张又圆又薄的面饼上放上鸡蛋，抹上甜面酱和辣椒酱，
jiān bing guǒ zi shì zài yì zhāng yòu yuán yòu báo de miàn bǐng shang fàng shàng jī dàn　mǒ shàng tián miàn jiàng hé là jiāo jiàng

再放上葱花和油条，之后卷起来吃。
zài fàng shàng cōng huā hé yóu tiáo　zhī hòu juǎn qi lai chī

⑳ 脆 *cuì* crisp　煎饼果子吃起来甜甜的、辣辣的，里面的油条还脆脆的。
jiān bing guǒ zi chī qi lai tián tián de　là là de　lǐ miàn de yóu tiáo hái cuì cuì de

㉑ 以 *yǐ* take　**㉒** 为 *wéi* (serve) as　我们家早饭以西餐为主。
wǒ men jiā zǎo fàn yǐ xī cān wéi zhǔ

▲ **Grammar: Pattern: ... 以 ... 为主**

1 用所给结构及词语看图完成句子

结构：煎饼果子吃起来甜甜的、辣辣的。

①  听　这个汉语暑期班……

②  吃　麻婆豆腐……

③  做 吃　北京烤鸭……

④  看 穿　这双鞋……

2 用所给结构及词语写句子

结构：在面饼上放上鸡蛋，抹上甜面酱和辣椒酱，再放上葱花和油条，之后卷起来吃。

① 烤鸭　甜面酱　葱和黄瓜　卷
→

② 灯笼　春联　零食　年夜饭
→

③ 礼物　蛋糕　蜡烛　生日歌
→

④ 收拾　擦　洗碗　扫地
→

3 用所给结构及词语看图完成句子

结构：我们家早饭以西餐为主。

① 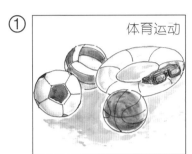 我们学校的
课外活动……

②  这次汉语测
验……

③ 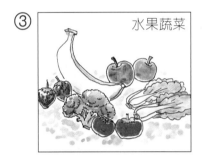 我一日三餐
……

④  我们学校的
老师……

4 用所给结构及词语写句子

结构：中国的南方人和北方人在饮食习惯上很不同。

① 穿着　时尚　酷
→

② 时间管理　作业　小狗
→

③ 生活　独立　自己
→

④ 学习　进步　成绩
→

中国人早饭一般吃什么?

中国的南方人和北方人在
nán fāng rén   běi fāng rén
饮食习惯上很不同,所以
yǐn shí
早餐的种类特别多。
zhǒng lèi

那你们家早饭吃什么?

南方和北方的早餐我们家都吃,例如生煎包、小笼
包、馄饨、油条、馒头、包子、煎饼果子等。除了
hún tun   yóu tiáo   mán tou   jiān bing guǒ zi
面食以外,我们还喝豆浆或者喝粥,吃酱菜。
miàn shí   dòu jiāng   jiàng cài

煎饼果子是什么?

煎饼果子是一种北方的早餐。煎饼果子是在一张又圆
又薄的面饼上放上鸡蛋,抹上甜面酱和辣椒酱,再放
báo   mǒ   tián miàn jiàng   là jiāo jiàng
上葱花和油条,之后卷起来吃。它吃起来甜甜的、辣
cōng huā   zhī hòu juǎn
辣的,里面的油条还脆脆的。你一定要尝尝!你们家
cuì
早饭吃什么?

我们家早饭以西餐为主。我们一般吃烤面包,上面抹
yǐ   wéi zhǔ
黄油、果酱,或者花生酱。我们还吃煎蛋,喝牛奶。
huáng yóu   guǒ jiàng   huā shēng jiàng   jiān dàn

情景 你和朋友聊早饭吃些什么。可以参用以下问题。

1) 你们家早饭一般吃什么?

2) 你今天早饭吃了什么?你的早饭是买的还是你们家自己做的?

3) 你们家附近有早餐店吗?

4) 你经常去哪里买面包?你会做面包吗?

例子:

你:你们家早饭一般吃什么?

朋友:我父母都是中国人,所以我们家早饭以中餐为主,例如包子、油条、粥、豆浆等。我们有时候也吃西式早餐,例如面包、牛奶、酸奶、水果等。

你:你今天早饭吃了什么?

朋友:我吃了两个包子和一个橙子,喝了一杯豆浆。

你:你吃的包子是买的还是你们家自己做的?

朋友:是在我们家附近的早餐店买的。一块钱一个,又便宜又好吃。

……

你可以用

a) 我爸爸是中国人,妈妈是美国人。我们家有时候吃中式早餐,有时候吃西式早餐。

b) 我每天早上都自己准备早餐。我会烤一片面包,在上面抹黄油和果酱。我还会吃一些水果,喝一杯牛奶。

c) 我家有一个烤箱。妈妈经常给我烤面包。

d) 我早饭喜欢吃生煎包,喝粥。

e) 我早上没有时间吃早饭。我一般带一个三明治和一个苹果去学校,课间休息时吃。

生词 2

❶ 花样 huā yàng variety　　**❷** 繁多 fán duō numerous　　花样繁多 huā yàng fán duō of all shapes and colours

❸ 鲜美 xiān měi delicious　　中国饮食花样繁多，味道鲜美。zhōng guó yǐn shí huā yàng fán duō，wèi dào xiān měi　　**❹** 概括 gài kuò summarize　　**❺** 咸 xián salty

❻ 说法 shuō fǎ view　　在口味方面，概括起来，中国饮食有"南甜北咸，东鲜西酸"的说法。zài kǒu wèi fāng miàn，gài kuò qi lai，zhōng guó yǐn shí yǒu "nán tián běi xián，dōng xiān xī suān" de shuō fǎ

❼ 重 zhòng heavy　　**❽** 酱油 jiàng yóu soy sauce　　**❾** 盐（鹽）yán salt

❿ 一带 yí dài surrounding; area　　**⓫** 海鲜 hǎi xiān seafood　　**⓬** 清 qīng clear; plain　　**⓭** 淡 dàn light; mild　　清淡 qīng dàn light

⓮ 山西 shān xī Shanxi Province　　山西人爱吃酸的，做菜少不了放醋。shān xī rén ài chī suān de，zuò cài shǎo bu liǎo fàng cù

> **Grammar: a) "不了" serves as the complement of potential.**
> **b) Pattern: Verb/Adjective+ 得 / 不 + 了**

⓯ 制（製）zhì make　　制品 zhì pǐn products　　豆制品 dòu zhì pǐn bean products

⓰ 主食 zhǔ shí staple food　　**⓱** 大饼 dà bǐng baked pancake　　**⓲** 深 shēn deep; deeply

⓳ 喜爱 xǐ ài love　　饺子、包子、大饼、面条等面食都深受北方人喜爱。jiǎo zi、bāo zi、dà bǐng、miàn tiáo děng miàn shí dōu shēn shòu běi fāng rén xǐ ài

> **Grammar: Pattern: ... 受 ... 喜爱**

⓴ 离 lí without　　很多南方人一日三餐都离不开米食。hěn duō nán fāng rén yí rì sān cān dōu lí bu kāi mǐ shí

㉑ 熟 shú cooked　　中国人习惯食物做熟了再吃。zhōng guó rén xí guàn shí wù zuò shú le zài chī

> **Grammar: This is a passive sentence. Some passive sentences do not need "被".**

㉒ 强调 qiáng diào stress　　**㉓** 俱 jù all; completely　　俱全 jù quán complete in all varieties

㉔ 究 jiū go into; probe　　讲究 jiǎng jiu be particular about　　中国菜强调色、香、味、形俱全。zhōng guó cài qiáng diào sè、xiāng、wèi、xíng jù quán

㉕ 切 qiē cut　　**㉖** 烧 shāo cook　　**㉗** 丁 dīng small cube (of meat or vegetables)　　**㉘** 块 kuài lump

㉙ 状（狀）zhuàng shape　　形状 xíng zhuàng shape　　**㉚** 煮 zhǔ boil

6 说一说

要求 说出盘子里有什么。

丝　　　　　丁　　　　　块　　　　　条

1) 白萝卜丝　　　6)

2)　　　　　　　7)

3)　　　　　　　8)

4)　　　　　　　9)

5)

7 回答问题

口味　　酸　甜　苦　辣　咸

1) | 什么水果很酸？ |　　　没有熟的葡萄很酸。

2) | 什么水果很甜？ |

3) | 什么蔬菜很苦？ |

4) | 什么菜很辣？ |

5) | 什么菜很咸？ |

80

8 用所给结构及词语看图说话

结构：中国人习惯食物做熟了再吃。

 ① 　作业　完
电视

② 　手　干净
晚饭

③ 　外套　好
出去

④ 　感冒药　完
睡觉

9 听课文录音，回答问题

1) 中国饮食在口味方面有什么
特色？

2) 东南沿海一带的人爱吃什么？

3) 山西人做菜时喜欢放什么？

4) 中国传统的饮食习惯是什么？

5) 哪些主食很受北方人喜爱？

6) 南方人喜欢吃什么主食？

7) 中国人吃东西有什么习惯？

8) 中国菜有哪些常用的烧法？

中国饮食花样繁多（huā yàng fán duō），味道鲜美（xiān měi）。在口味方面，概括（gài kuò）起来，有"南甜北咸（xián），东鲜西酸"的说法（shuō fǎ）。简单地说，南方人喜欢吃甜的。北方人爱吃咸的，口味比较重（zhòng），做菜时喜欢放酱油（jiàng yóu），盐（yán）也放得比较多。东南沿海一带（yí dài）的人喜欢吃海鲜（hǎi xiān），口味比较清（qīng）淡（dàn）。山西（shān xī）人爱吃酸的，做菜时少不了放醋。

蒸鱼

担担面（dàn dan miàn）

中国传统的饮食习惯是多菜少肉，豆制品（dòu zhì pǐn）吃得比较多。在主食（zhǔ shí）方面，有"南米北面"的说法。北方人爱吃面食。饺子、包子、大饼（dà bǐng）、面条等面食都深（shēn）受北方人喜爱（xǐ ài）。南方人喜欢吃米饭。很多南方人一日三餐都离不开米食。

中国人习惯食物做熟（shú）了再吃。中国菜强调（qiáng diào）色、香、味、形俱全（jù quán）。做中国菜时切（qiē）菜和烧（shāo）法都很讲究（jiǎng jiu）。菜一般切成丁（dīng）、丝、块（kuài）、条等形状（xíng zhuàng）。常用的烧法有煎、炒、蒸、炸、煮（zhǔ）等。

红烧肉

小笼包

10 小组活动

要求 在规定的时间里完成下表。

中餐	西餐	快餐	零食	饮料	蔬菜	水果
•	•	•	•	•	•	•
•	•	•	•	•	•	•
•	•	•	•	•	•	•
•	•	•	•	•	•	•

11 用所给结构及词语写句子

① 中国饮食在口味方面，概括起来，有"南甜北咸，东鲜西酸"的说法。 → 学好汉语

② 简单地说，南方人喜欢吃甜的，北方人爱吃咸的。 → 中国菜

③ 山西人做菜时少不了放醋。 → 春节

④ 很多南方人一日三餐都离不开米食。 → 电脑

要求 说说什么菜是这样做的。

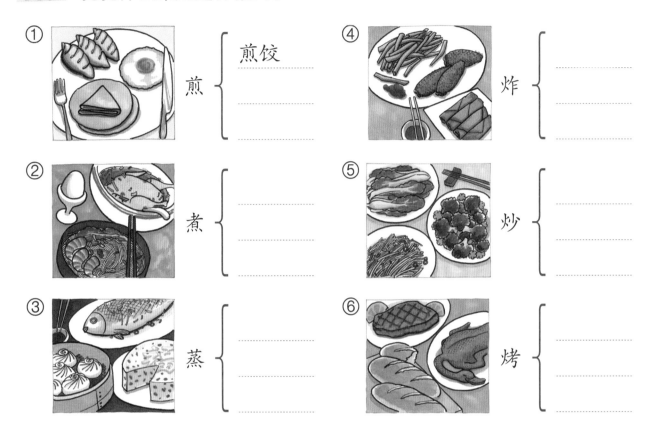

① 煎 { 煎饺 ...... }

④ 炸 { ...... }

② 煮 { ...... }

⑤ 炒 { ...... }

③ 蒸 { ...... }

⑥ 烤 { ...... }

13 小组活动

要求 介绍中国的饮食习惯。

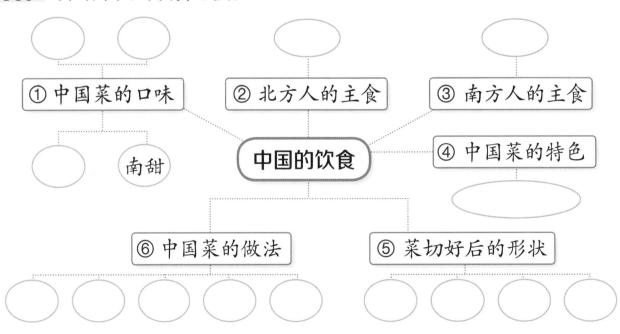

① 中国菜的口味 南甜

② 北方人的主食

③ 南方人的主食

④ 中国菜的特色

中国的饮食

⑥ 中国菜的做法

⑤ 菜切好后的形状

14 根据实际情况回答问题

1) 你早饭一般吃什么？

2) 在学校，你午饭一般吃什么？

3) 你喜欢吃面食还是米食？你喜欢吃什么面食？

4) 你爱吃甜的还是咸的？你喜欢吃辣的吗？

5) 你经常吃豆制品吗？你常吃什么豆制品？

6) 你会做菜吗？你会做什么菜？

7) 你一日三餐肉吃得多还是蔬菜吃得多？

8) 你喜欢吃什么蔬菜？你喜欢吃什么水果？

9) 你喜欢吃什么零食？你喜欢喝什么饮料？

10) 你们家周末经常去饭店吃饭吗？你们常去哪家饭店？请介绍一下这家饭店。

你可以用

a) 中餐、西餐，我都喜欢吃。

b) 我们全家都爱吃米食。

c) 我父母都是北方人。我们比较喜欢吃面食，例如馒头、饼、面条等。

d) 我们一家人都喜欢吃中餐。我们最爱吃饺子和烤鸭。

e) 我特别喜欢吃辣的。如果有机会，我想去四川尝尝地道的四川菜。

f) 我不爱吃豆腐，因为豆腐没有味道。

g) "一天一苹果，医生远离我。"我每天都吃一个苹果。

第八课　饮食与健康

生词 1

① <ruby>营养<rt>yíngyǎng</rt></ruby> nutrition　<ruby>营养师<rt>yíngyǎng shī</rt></ruby> nutritionist; dietician

② <ruby>请教<rt>qǐng jiào</rt></ruby> seek advice

③ <ruby>青少年<rt>qīngshàonián</rt></ruby> teenagers

④ <ruby>注<rt>zhù</rt></ruby> concentrate　<ruby>注意<rt>zhù yì</rt></ruby> pay attention to

<ruby>今天我们想向您请教青少年在饮食方面要注意什么？<rt>jīn tiān wǒ men xiǎng xiàng nín qǐng jiào qīngshàonián zài yǐn shí fāngmiàn yào zhù yì shén me</rt></ruby>

⑤ <ruby>足<rt>zú</rt></ruby> adequate; enough

⑥ <ruby>够<rt>gòu</rt></ruby> enough　<ruby>足够<rt>zú gòu</rt></ruby> enough

⑦ <ruby>能量<rt>néngliàng</rt></ruby> energy　<ruby>青少年正在长身体，需要足够的能量和营养。<rt>qīngshàonián zhèng zài zhǎngshēn tǐ xū yào zú gòu de néngliàng hé yíngyǎng</rt></ruby>

⑧ <ruby>均<rt>jūn</rt></ruby> equal

⑨ <ruby>衡<rt>héng</rt></ruby> balanced　<ruby>均衡<rt>jūn héng</rt></ruby> balance

<ruby>合理的饮食就是要吃营养丰富、均衡的食物。<rt>hé lǐ de yǐn shí jiù shì yào chī yíngyǎngfēng fù jūn héng de shí wù</rt></ruby>

⑩ <ruby>谷（穀）<rt>gǔ</rt></ruby> cereal; grain

⑪ <ruby>证（證）<rt>zhèng</rt></ruby> prove　<ruby>保证<rt>bǎo zhèng</rt></ruby> ensure; guarantee

⑫ <ruby>充<rt>chōng</rt></ruby> sufficient　<ruby>充足<rt>chōng zú</rt></ruby> sufficient　<ruby>青少年应该多吃谷类食物，保证身体获得充足的能量。<rt>qīngshàonián yīng gāi duō chī gǔ lèi shí wù bǎo zhèngshēn tǐ huò dé chōng zú de néngliàng</rt></ruby>

⑬ <ruby>蛋白质<rt>dàn bái zhì</rt></ruby> protein

⑭ <ruby>除此之外<rt>chú cǐ zhī wài</rt></ruby> besides this

⑮ <ruby>奶制品<rt>nǎi zhì pǐn</rt></ruby> diary products

⑯ <ruby>钙（鈣）<rt>gài</rt></ruby> calcium　<ruby>他们最好每天都吃奶制品、豆制品等高钙食品。<rt>tā men zuì hǎo měi tiān dōu chī nǎi zhì pǐn dòu zhì pǐn děng gāo gài shí pǐn</rt></ruby>

⑰ <ruby>维（維）他命<rt>wéi tā mìng</rt></ruby> vitamin　<ruby>他们还要保证食品里有足量的维他命。<rt>tā men hái yào bǎo zhèng shí pǐn lǐ yǒu zú liàng de wéi tā mìng</rt></ruby>

⑱ <ruby>利<rt>lì</rt></ruby> benefit　<ruby>不利<rt>bú lì</rt></ruby> unfavourable　<ruby>不吃早餐对身体健康非常不利。<rt>bù chī zǎo cān duì shēn tǐ jiàn kāng fēi cháng bú lì</rt></ruby>

> **Grammar: Pattern: ... 对 ... 不利**

⑲ <ruby>人们<rt>rén men</rt></ruby> people　<ruby>人们常说<rt>rén menchángshuō</rt></ruby>"<ruby>早吃好<rt>zǎo chī hǎo</rt></ruby>，<ruby>午吃饱<rt>wǔ chī bǎo</rt></ruby>，<ruby>晚吃少<rt>wǎn chī shǎo</rt></ruby>"。

⑳ <ruby>集<rt>jí</rt></ruby> gather　<ruby>集中<rt>jí zhōng</rt></ruby> concentrate

㉑ <ruby>精力<rt>jīng lì</rt></ruby> energy; vigour

㉒ <ruby>只有<rt>zhǐ yǒu</rt></ruby> only　<ruby>只有……才……<rt>zhǐ yǒu cái</rt></ruby> only

<ruby>只有吃好早餐，同学们上课时才能集中精力学习。<rt>zhǐ yǒu chī hǎo zǎo cān tóng xué menshàng kè shí cái néng jí zhōngjīng lì xué xí</rt></ruby>

1 用所给结构及词语写句子

结构：不吃早餐对身体健康非常不利。

① 爸爸　对……发火

② 汉语老师　对……严格

③ 北京　对……印象

④ 汉字　对……来说

2 小组活动

要求　为了保证身体获得充足能量，同学们要吃营养丰富、均衡的食物。在规定的时间里完成下表。

谷类食物	高钙的食物	蛋白质丰富的食物	维他命丰富的食物
• 粥	• 豆浆	• 鱼	• 苹果
•	•	•	•
•	•	•	•
•	•	•	•
•	•	•	•
•	•	•	•

3 用所给结构及词语看图完成句子

结构：只有吃好早餐，同学们上课时才能集中精力学习。

①  汉字　只有多练，我才能……

②  听力　只有多听，我……

③  球技　只有认真训练，……

④  身体　只有吃营养丰富、均衡的食物，……

4 采访同学

要求　问十个同学早饭一般吃什么，他／她吃的早餐是不是营养丰富。

例子：

你：你早饭一般吃什么？

同学：我早饭一般吃一碗粥、一个煮鸡蛋和一些水果，比如苹果、橙子。我觉得我的早餐营养丰富、均衡，能保证身体有充足的能量。

> **中式早餐**
>
> 馄饨　包子　生煎包　小笼包
> 油条　大饼　煎饼果子　粥
>
> **西式早餐**
>
> 面包　黄油　果酱　花生酱
> 煎蛋　香肠　火腿　奶酪
>
> **水果**
>
> 苹果　香蕉　橙子　草莓
>
> **饮品**
>
> 牛奶　豆浆　果汁　咖啡

课文1 🎧30

张营养师，今天我们想向您请教青少年在饮食方面要注意什么？

青少年正在长身体，需要足够的能量和营养。他们需要合理的饮食。

怎样才是合理的饮食呢？

合理的饮食就是要吃营养丰富、均衡的食物。青少年应该多吃谷类食物，保证身体获得充足的能量。他们还要多吃蛋白质丰富的食物，比如鱼、虾、肉、蛋等。

除此之外，他们还应注意什么？

他们最好每天都吃奶制品、豆制品等高钙食品，同时还要保证食品里有足量的维他命。

有些同学不吃早饭。这样会影响健康吧？

对。不吃早餐对身体健康非常不利。人们常说"早吃好，午吃饱，晚吃少"。青少年不仅要吃早饭，而且要吃营养丰富的早餐。只有吃好早餐，同学们上课时才能集中精力学习。

要求 青少年正在长身体，要吃营养丰富、均衡的食物。青少年最好每天都吃：

• 谷类食物

• 蛋白质丰富的食物

• 奶制品、豆制品等高钙食品

• 有足量维他命的食品

说一说你的一日三餐是不是符合(fú hé)这些要求。

例子：

同学1：人们常说"早吃好，午吃饱，晚吃少"。早饭特别重要。不吃早餐对健康非常不利。

同学2：你说得对。我们不仅要吃早饭，而且要吃营养丰富，能提供充足能量的早餐。

同学3：你们看看我的早饭怎么样。我喜欢吃中西结(jié)合(hé)的早餐。我早上一般吃两片烤面包，上面抹黄油、果酱，再吃一个鸡蛋，喝一杯豆浆或者一碗粥。我还会吃一些水果，比如香蕉、苹果、橙子。

同学1：我认为你的早饭营养很丰富。只有吃好早饭，我们上课时才能集中精力学习。你午饭一般吃什么？

......

生词 2

❶ 提 tí mention

❷ 金 jīn gold　金字塔 jīn zì tǎ pyramid　提到饮食与健康，很多人会想到食物金字塔。
tí dào yǐn shí yǔ jiàn kāng　hěn duō rén huì xiǎng dào shí wù jīn zì tǎ

❸ 按 àn according to　按照 àn zhào according to

❹ 主要 zhǔ yào main

人们每天吃的食物主要分四大类。第一类是主食，也就是谷类食物。
rén men měi tiān chī de shí wù zhǔ yào fēn sì dà lèi　dì yī lèi shì zhǔ shí　yě jiù shì gǔ lèi shí wù

▲ Grammar: Here "也就是" means "is also known as".

❺ 玉 yù jade　玉米 yù mǐ corn　**❻** 含 hán contain　**❼** 碳 tàn carbon

❽ 化合物 huà hé wù chemical compound　碳水化合物 tàn shuǐ huà hé wù carbohydrate　主食主要含碳水化合物。
zhǔ shí zhǔ yào hán tàn shuǐ huà hé wù

❾ 人体 rén tǐ human body　主食给人体提供能量。
zhǔ shí gěi rén tǐ tí gōng néng liàng

❿ 素 sù basic element　维生素 wéi shēng sù vitamin

⓫ 纤（纖）xiān fine; tiny　纤维 xiān wéi fibre

⓬ 矿（礦）kuàng mine　矿物 kuàng wù mineral　矿物质 kuàng wù zhì mineral substance

⓭ 脂 zhī fat　脂肪 zhī fáng fat

⓮ 适量 shì liàng just the right amount　主要含蛋白质和脂肪的食物应该适量吃，不能吃太多。
zhǔ yào hán dàn bái zhì hé zhī fáng de shí wù yīng gāi shì liàng chī　bù néng chī tài duō

⓯ 属（屬）shǔ belong to　属于 shǔ yú belong to　很多快餐和零食都属于高油、高糖、高盐类食品。
hěn duō kuài cān hé líng shí dōu shǔ yú gāo yóu　gāo táng　gāo yán lèi shí pǐn

⓰ 大量 dà liàng large number; great quantity　**⓱** 使 shǐ make

⓲ 发胖 fā pàng gain weight　这些食物含大量脂肪、糖和盐，吃太多会使人发胖。
zhè xiē shí wù hán dà liàng zhī fáng　táng hé yán　chī tài duō huì shǐ rén fā pàng

6 回答问题

1) 米饭主要含什么？

_____

2) 胡萝卜主要含什么？

_____

3) 黄油主要含什么？

_____

4) 鸡蛋主要含什么？

_____

5) 鱼肉主要含什么？

_____

6) 面包主要含什么？

_____

7) 奶酪主要含什么？

_____

8) 豆腐主要含什么？

_____

9) 鸡肉主要含什么？

_____

10) 果汁主要含什么？

_____

7 完成句子

1) 提到 _____，很多人都会想到 _____。

2) 要是想 _____，除了 _____，还要 _____。

3) 青少年正在长身体，需要 _____。

4) 青少年应该多吃谷类食物，保证 _____。

8 看图说话

例子：

第一类食物是主食，也就是谷类食品，包括米饭、面食、玉米、土豆等。这些食物主要含碳水化合物。这类食物可以多吃。
第二类……

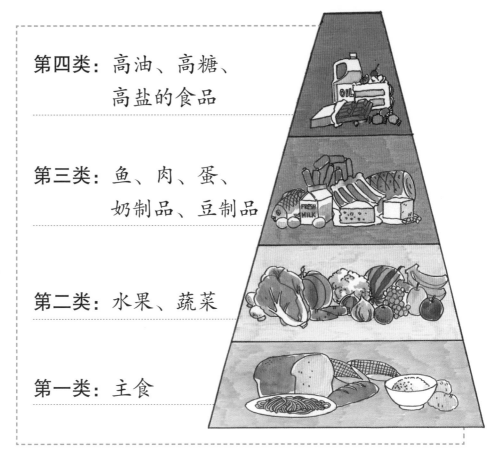

第四类：高油、高糖、高盐的食品

第三类：鱼、肉、蛋、奶制品、豆制品

第二类：水果、蔬菜

第一类：主食

9 听课文录音，回答问题

1) 人们吃的食物主要分几大类？

2) 主食给人体提供什么？

3) 瓜果、蔬菜主要含什么营养？

4) 第三类食物是什么？

5) 快餐和零食属于第几类食物？

6) 第四类食物为什么不能多吃？

7) 哪类食物可以多吃一些？

8) 要是想有健康的身体应该做什么？

提到饮食与健康，很多人会想到食物金字塔。

按照食物金字塔，人们每天吃的食物主要分四大类。第一类是主食，也就是谷类食物，包括米饭、面食、玉米、土豆等。这些食物主要含碳水化合物，给人体提供能

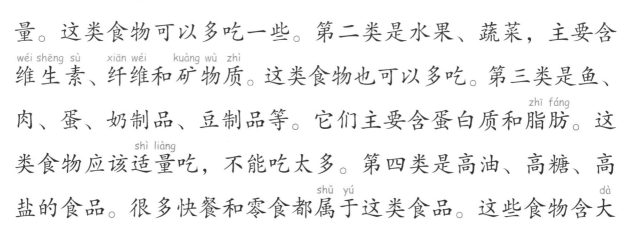

量。这类食物可以多吃一些。第二类是水果、蔬菜，主要含维生素、纤维和矿物质。这类食物也可以多吃。第三类是鱼、肉、蛋、奶制品、豆制品等。它们主要含蛋白质和脂肪。这类食物应该适量吃，不能吃太多。第四类是高油、高糖、高盐的食品。很多快餐和零食都属于这类食品。这些食物含大

量脂肪、糖和盐，吃太多对健康不利，还会使人发胖，所以一定要少吃。

要是想有健康的身体，除了合理饮食之外，还要多运动。

10 用所给结构及词语看图完成句子

结构：吃太多含大量脂肪、糖和盐的食物会使人发胖。

①  不吃早饭使学生不能……

②  参加汉语短训班使她的口语……

③  一个月的见习使他……

④  难忘的中国游学使她……

11 用所给结构完成句子

结构：第一类是主食，也就是谷类食物。

1) 中国饮食有"南米北面"的说法，也就是＿＿＿＿＿＿＿＿＿＿＿＿＿。

2) 人们常说"早吃好，午吃饱，晚吃少"，＿＿＿＿＿＿＿＿＿＿＿。

3) 香港既是"美食天堂"又是"购物天堂"，＿＿＿＿＿＿＿＿＿＿。

4) 青少年需要合理的饮食，＿＿＿＿＿＿＿＿＿＿＿＿＿＿＿＿。

5) 学语言要眼、耳、口、手一起用，＿＿＿＿＿＿＿＿＿＿＿＿。

6) 要多吃高钙食品，＿＿＿＿＿＿＿＿＿＿＿＿＿＿＿＿＿＿＿。

情景 你打电话约朋友星期六一起去吃港式茶点。

例子：

你：小玉，你在干什么？

朋友：我在写博客。你找我有事吗？

你：我想约(yuē)你这个星期六一起去吃下午茶。我家附近新开了一家饭店。我们一家人上个周末去那里吃了下午茶。那里做的港式点心(diǎn xin)好吃极了！

朋友：好啊！我特别喜欢吃港式点心。我们几点去？

你：我们早点儿去吧！这两个星期所有的点心都打九折，还不收服务费，所以去那里的人多得不得了。

……

（在饭店）

你：你想喝什么茶？

朋友：什么茶都行。

……

港式茶点

fèng zhǎo
凤爪

yún tūn miàn
云吞面

叉烧包

萝卜糕

小笼包

春卷

虾饺

蒸排骨

shāo mài
烧卖

má qiú
麻球

cháng fěn
牛肉肠粉

pí dàn shòu ròu zhōu
皮蛋瘦肉粥

茶：花茶(huā chá)、乌龙茶(wū lóng chá)、铁观音(tiě guān yīn)

九龙酒店：上午九点至下午三点

13 小组讨论

要求 讨论学校餐厅提供的饭菜是否健康，餐厅怎样可以做得更好。

例子：

同学1：餐厅的饭菜大部分都很健康，例如沙拉、水果、盒饭等。

同学2：你说得对。盒饭营养比较均衡，也适合大多数同学的口味。

同学3：我觉得为了让同学们多吃盒饭，餐厅应该每天提供不同的盒饭，比如星期一卖牛肉饭，星期二卖鸡肉饭，星期三卖猪排饭等。

同学1：我认为餐厅最好提供更多种类的盒饭。

同学2：除此之外，为了吸引更多同学吃盒饭，盒饭还应该便宜一些。

同学3：我同意。我觉得餐厅还应该少卖快餐，比如炸鸡块、炸鸡翅、薯条等。

......

你可以用

a) 盒饭的口味很重要。餐厅应提供不同口味的盒饭。

b) 炸鱼和薯条虽然又香又脆，但是里边含大量脂肪。经常吃这些食物对健康不利。我认为餐厅应该少卖快餐。

c) 餐厅不应该卖巧克力、糖果、冰淇淋等零食，也不应该卖汽水、可乐。

d) 水果含维生素、纤维和矿物质，对身体很好。餐厅应该多卖水果，比如苹果、橘子、香蕉等。水果还应该便宜一些。这样可以吸引更多学生买水果。

第九课　节日饮食

生词 1

① 奏 zòu play; perform　节奏 jié zòu rhythm　现代人生活节奏快，快餐越来越流行。xiàn dài rén shēng huó jié zòu kuài, kuài cān yuè lái yuè liú xíng

② 后果 hòu guǒ consequence　③ 久而久之 jiǔ ér jiǔ zhī as time passes　久而久之会给身体健康带来什么后果呢？jiǔ ér jiǔ zhī huì gěi shēn tǐ jiàn kāng dài lái shén me hòu guǒ ne

④ 热量 rè liàng quantity of heat　⑤ 疾 jí disease　疾病 jí bìng disease　经常吃快餐，人们很可能得现代疾病。jīng cháng chī kuài cān, rén men hěn kě néng dé xiàn dài jí bìng

⑥ 血 xuè blood　血脂 xuè zhī blood fat　⑦ 压 yā pressure　血压 xuè yā blood pressure　高血压 gāo xuè yā high blood pressure

⑧ 尿 niào urine　糖尿病 táng niào bìng diabetes　⑨ 脏（臟）zàng internal organs of the body　心脏 xīn zàng heart　心脏病 xīn zàng bìng heart disease

⑩ 肥 féi fat　肥胖 féi pàng fat　⑪ 症 zhèng illness　肥胖症 féi pàng zhèng obesity

⑫ 引 yǐn cause　引起 yǐn qǐ cause　高盐、油炸的食品容易引起高血压、高血脂等疾病。gāo yán, yóu zhá de shí pǐn róng yì yǐn qǐ gāo xuè yā, gāo xuè zhī děng jí bìng

⑬ 消 xiāo disappear　⑭ 化 huà melt　消化 xiāo huà digest　⑮ 不良 bù liáng bad　消化不良 xiāo huà bù liáng indigestion

⑯ 肠 cháng intestines　⑰ 胃 wèi stomach　肠胃 cháng wèi digestive system

⑱ 防 fáng prevent　预防 yù fáng take precautions against　⑲ 才 cái can only...when...　那怎么才能预防现代疾病呢？nà zěn me cái néng yù fáng xiàn dài jí bìng ne

⑳ 良好 liáng hǎo good; fine　㉑ 垃圾 lā jī rubbish　㉒ 奶油 nǎi yóu cream

㉓ 植 zhí plant　植物 zhí wù plant　植物油 zhí wù yóu vegetable oil　㉔ 分 fēn one-tenth　㉕ 进 jìn eat; drink　进餐 jìn cān have a meal

㉖ 定时 dìng shí at fixed time　㉗ 定量 dìng liàng fixed amount or quantity

㉘ 首先 shǒu xiān first of all　㉙ 其次 qí cì secondly

首先，要养成良好的饮食习惯。其次，每餐最好只吃八分饱。最后，进餐要定时、定量。shǒu xiān, yào yǎng chéng liáng hǎo de yǐn shí xí guàn. qí cì, měi cān zuì hǎo zhǐ chī bā fēn bǎo. zuì hòu, jìn cān yào dìng shí, dìng liàng

◀ Grammar: Pattern: 首先 ... 其次 ... 最后 ...

98

1 小组活动

要求 在规定的时间里完成下表。

① 哪些食物含有丰富的蛋白质？

- •   •
- •   •

④ 哪些食物含有丰富的铁？

- •   •
- •   •

② 哪些食物含有丰富的维生素？

- •   •
- •   •

⑤ 哪些食物主要含脂肪？

- •   •
- •   •

③ 哪些食物含有丰富的钙？

- •   •
- •   •

⑥ 哪些食物主要含碳水化合物？

- •   •
- •   •

2 用所给结构完成句子

结构：快餐越来越流行。久而久之会给身体健康带来什么后果呢？

1) 如果你总是坐在那里看电视，_____。

2) 如果你只用电脑打字，不用手写字，_____。

3) 如果你健康饮食、多做运动，_____。

结构：A: 怎么才能预防现代疾病呢？

B: 首先，要养成良好的饮食习惯。平时少吃垃圾食品，少吃动物脂肪、奶油，多吃蔬菜、水果、瘦肉、鱼、植物油。其次，每餐最好只吃八分饱。最后，进餐要定时、定量。

① A: 怎么才能提高汉语口语水平呢？

B: 首先，……

④ A: 怎么才能考进世界一流的大学呢？

B: 首先，……

② A: 怎么才能提高学习成绩呢？

B: 首先，……

⑤ A: 怎么才能跟父母有良好的关系呢？

B: 首先，……

③ A: 怎么才能有健康的身体呢？

B: 首先，……

⑥ A: 什么是营养丰富、均衡的早餐呢？

B: 首先，……

课文 1 34

现代人生活节奏快，快餐越来越流行。久
而久之会给身体健康带来什么后果呢？

快餐一般是高盐、高糖、高脂肪、
高热量的食品。经常吃快餐，人们
很可能得现代疾病。

现代疾病有哪些呢？

有高血压、高血脂、糖尿病、心脏病、肥胖症等。
高盐、油炸的食品容易引起高血压、高血脂等疾病。
高糖、高脂肪的食品会使人肥胖，容易得糖尿病。
高热量的食品还容易引起消化不良等肠胃疾病。

那怎么才能预防现代疾病呢？

首先，要养成良好的饮食习惯。平时少吃垃圾食品，少吃
动物脂肪、奶油，多吃蔬菜、水果、瘦肉、鱼、植物油。
其次，每餐最好只吃八分饱。最后，进餐要定时、定量。

除了饮食之外，还要注意什么？

要是想身体健康，还要经常做运动。

情景 两个同学一边吃午饭一边谈他们的饮食习惯。

例子：

同学1：你今天吃什么？

同学2：我吃快餐。我最喜欢吃炸鸡块和薯条。

同学1：快餐一般是高盐、高糖、高脂肪、高热量的食品。你应该少吃快餐。

同学2：我记(jì)得(de)你以前也很喜欢吃快餐。你还喜欢吃薯条、巧克力等零食。你最近吃的东西跟以前不一样了。

同学1：对。因为我堂哥很喜欢吃快餐和零食。他最近得了糖尿病。我觉得我得改变一下自己的饮食习惯了。

同学2：我也应该养成好的饮食习惯。我也得少吃快餐。

同学1：我发现你很喜欢吃肉。

同学2：是啊。……

你可以用

a) 我喜欢吃饼干、糖果和冰淇淋。我最爱吃巧克力。

b) 快餐对健康不利。经常吃快餐，人们很可能得现代疾病。

c) 高糖、高脂肪的食品会使人肥胖，容易得糖尿病。高热量的食品还容易引起消化不良等肠胃疾病。

d) 我们应该少吃油炸食品，多吃蔬菜、水果、瘦肉、鱼等健康食品。我们还要多做运动。

生词 2 35

1 宵 *xiāo* night 元宵节 *yuánxiāo jié* the Lantern Festival (15th day of the 1st lunar month)

2 重阳节 *chóngyáng jié* the Double Ninth Festival (9th day of the 9th lunar month)

3 走 *zǒu* visit 4 访（訪） *fǎng* visit 走亲访友 *zǒu qīn fǎng yǒu* call on relatives and friends

5 聚餐 *jù cān* have a dinner party 节日期间，不论跟家人在一起还是走亲访友都少不了聚餐。 *jié rì qī jiān, bú lùn gēn jiā rén zài yì qǐ hái shi zǒu qīn fǎng yǒu dōu shǎo bu liǎo jù cān*

6 大吃大喝 *dà chī dà hē* indulge in wining and dining 这样大吃大喝会对我们的身体有不好的影响。 *zhè yàng dà chī dà hē huì duì wǒ men de shēn tǐ yǒu bù hǎo de yǐng xiǎng*

7 大家 *dà jiā* everybody 8 盛 *shèng* rich 丰盛 *fēng shèng* lavish

9 几 *jī* nearly; almost 几乎 *jī hū* nearly; almost

节日里几乎每餐都吃鸡鸭鱼肉这些高脂肪、高油、高糖、高热量的食品。 *jié rì li jī hū měi cān dōu chī jī yā yú ròu zhè xiē gāo zhī fáng、gāo yóu、gāo táng、gāo rè liàng de shí pǐn*

10 大鱼大肉 *dà yú dà ròu* abundant fish and meat; rich food

11 锻（鍛） *duàn* forge 12 炼（煉） *liàn* smelt; refine 锻炼 *duàn liàn* take exercise 13 体重 *tǐ zhòng* weight

14 加上 *jiā shàng* moreover 大鱼大肉吃多了，加上没有时间锻炼身体，会使我们的体重增加。 *dà yú dà ròu chī duō le, jiā shàng méi yǒu shí jiān duàn liàn shēn tǐ, huì shǐ wǒ men de tǐ zhòng zēng jiā*

15 胃口 *wèi kǒu* appetite 16 吐 *tù* vomit 17 泻（瀉） *xiè* have loose bowels 上吐下泻 *shàng tù xià xiè* suffer from vomiting and diarrhoea

18 过量 *guò liàng* excessive 如果过量饮酒，对健康非常不利。 *rú guǒ guò liàng yǐn jiǔ, duì jiàn kāng fēi cháng bú lì*

19 因此 *yīn cǐ* therefore 20 千万 *qiān wàn* be sure to

21 暴 *bào* sudden and fierce 暴饮暴食 *bào yǐn bào shí* eat and drink too much (at one meal)

不论吃饭还是饮酒都要适量，千万不要暴饮暴食。 *bú lùn chī fàn hái shi yǐn jiǔ dōu yào shì liàng, qiān wàn bú yào bào yǐn bào shí*

5 用所给结构及词语看图完成句子

结构：节日里的食物特别丰盛，几乎每餐都吃鸡鸭鱼肉。

①  饮料

弟弟的饮食习惯很不好，几乎……

②  听写

我们的中文老师特别严格，……

③  零食

妹妹吃饭时总是没有胃口，……

④  一日三餐

中国人的主食以面食、米食为主，……

6 用所给问题编对话

1) 你们家庆祝中国的传统节日吗？庆祝哪些节日？

2) 你们家过节会请人来家里吃饭吗？如果在家里请客，谁做饭？会做什么菜？你会帮忙吗？你会做什么菜？

3) 你们家过节会去饭店吃饭吗？会去哪家饭店？为什么去那家饭店？你们一般点什么菜？

4) 节日期间，你会大吃大喝吗？你最喜欢哪种风味的食物？

104

7 用所给结构看图完成句子

结构：不论吃饭还是饮酒都要适量，千万不要暴饮暴食。

 ① 聚餐时，……

②  考试前，……

 ③ 你的病还没好，……

④  今天有八号台风，……

8 听课文录音填空

1) 春节、_____、端午节、中秋节、_____ 都是中国重要的传统节日。

2) 节日期间，不论跟家人在一起还是 _____ 都少不了聚餐。

3) _____ 会对我们的身体有不好的影响。

4) 节日里的食物特别 _____。

5) _____ 吃多了，会使我们的 _____ 增加。

6) 人们在节日聚餐时常常 _____。

7) 虽然 _____ 饮酒对健康有好处，但是如果 _____ 饮酒，对健康非常不利。

8) 过节时，千万不要 _____。

春节、元宵节（yuán xiāo jié）、端午节、中秋节、重阳节（chóng yáng jié）都是中国重要的传统节日。节日期间，不论跟家人在一起还是走（zǒu）亲访友（qīn fǎng yǒu）都少不了聚餐（jù cān）。这样大吃大喝（dà chī dà hē）会对我们的身体有不好的影响。

大家（dà jiā）都知道，节日里的食物特别丰盛（fēng shèng），几乎（jī hū）每餐都吃鸡鸭鱼肉这些高脂肪、高油、高糖、高热量的食品。大鱼（dà yú）大肉（dà ròu）吃多了，加上（jiā shàng）没有时间锻炼（duàn liàn）身体，不仅会使我们的体重（tǐ zhòng）增加，还容易带来消化不良、胃口（wèi kǒu）不好等问题。有的人还会上吐下泻（shàng tù xià xiè）。另外，人们在节日聚餐时常常饮酒。虽然适量饮酒对健康有好处，但是如果过量（guò liàng）饮酒，对健康非常不利。

因此（yīn cǐ），过节时我们应该注意自己的饮食。不论吃饭还是饮酒都要适量，千万（qiān wàn）不要暴饮暴食（bào yǐn bào shí）。

9 用所给结构及词语完成句子

结构：大鱼大肉吃多了，加上没有时间锻炼身体，不仅会使我们的体重增加，还容易带来消化不良、胃口不好等问题。

① 节日聚餐时，人们总是大吃大喝，加上常常饮酒，……

健康　注意　千万

② 叔叔有糖尿病、心脏病，……

饮食习惯　身体　越来越

③ 坐火车很舒适，……

车票　寒假　旅行

④ 我从小就喜欢绘画，……

影响　画家　美术

10 用所给结构及词语写句子

结构：不论跟家人在一起还是走亲访友都少不了聚餐。

① 牛奶　豆浆　含有蛋白质
→

② 快餐　零食　对健康不利
→

③ 坐火车　坐游轮　欣赏风景
→

④ 法律　商科　感兴趣
→

情景1　春节期间，你每餐都大吃大喝，还没有时间运动。春节以后，你发现自已胖了。

例子：

你：春节期间，我吃了不少好吃的。你也一定吃了很多大鱼大肉吧？

朋友：……

你：你吃了什么？你最喜欢吃哪个菜？

朋友：……

你：几天下来，你有没有觉得消化不良？

朋友：……

你：春节以后，你是不是胖了？

朋友：……

你：我也胖了。我们一起锻炼身体吧！

朋友：……

你：你什么时候有时间？我们去会所的健身房健身吧！

朋友：……

情景2　你今天中午参加了同学的生日派对。在派对上，你吃了很多东西。晚上你上吐下泻。妈妈带你去看急诊。

例子：

医生：你觉得哪儿不舒服？

你：……

医生：你今天吃早饭了吗？吃了什么？

你：……

医生：在生日会上，你吃了什么？喝了什么？

你：……

医生：你一共拉了几次？吐了几次？

你：……

医生：你肚子还疼吗？

你：……

医生：你现在感觉怎么样？

你：……

医生：你现在想吃东西吗？

你：……

12 角色扮演

情景 你们学校来了一个中国交换生。(jiāo huànshēng) 你跟他聊中国的传统节日。

例子：

你：除了春节，中国人还庆祝哪些传统节日？

交换生：元宵节、端午节、中秋节和重阳节。

你：我知道春节是中国人最重要的节日。春节期间，人们……。什么时候过元宵节？

交换生：正月十五，也就是新年的第十五天。

你：元宵节人们做什么？

交换生：人们吃元宵、赏花灯、猜(cāi)灯谜(dēng mí)。

你：元宵节之后有什么节日？

交换生：端午节。

你：我知道这个节日。……

交换生：你也听说过中秋节吧？

你：对。中秋节……。那中秋节之后呢？

交换生：你听说过重阳节吗？重阳节在农历九月初九。重阳节那天晚辈会去看望(kàn wàng)长辈。那天人们还会去登山(dēng shān)、远足(yuǎn zú)。

……

你可以用

a) 春节前人们会做很多准备工作。

b) 年夜饭，除了鸡鸭鱼肉，人们还吃饺子、春卷、年糕、汤圆等节日食品。

c) 元宵也叫汤圆(tāng yuán)。这种食品在北方叫元宵，在南方叫汤圆。

d) 端午节在农历五月初五。

e) 中秋节在农历八月十五。

f) 现在重阳节也叫老人节。人们会去看望家里的长辈。

第十课　现代科技

生词1 37

① 轻（輕）qīng small in number, degree, etc.　　年轻 nián qīng young　　年轻人 nián qīng rén young people

② 对 duì face　　我看到你们年轻人一天到晚都对着电脑。
wǒ kàn dào nǐ men nián qīng rén yì tiān dào wǎn dōu duì zhe diàn nǎo

③ 楚 chǔ clear　　清楚 qīng chu be clear about

④ 用途 yòng tú use　　您可能不太清楚，电脑的用途可多了！
nín kě néng bú tài qīng chu diàn nǎo de yòng tú kě duō le

⑤ 娱（娱）yú entertainment　　娱乐 yú lè entertainment

⑥ 扮 bàn play the part of　　扮演 bàn yǎn play the part of

⑦ 角色 jué sè role　　不管在学习、生活还是娱乐方面，电脑都扮演着重要的角色。
bù guǎn zài xué xí shēng huó hái shi yú lè fāngmiàn diàn nǎo dōu bàn yǎn zhe zhòng yào de jué sè

⑧ 查 chá look up

⑨ 资（資）zī information　　资料 zī liào information

⑩ 省 shěng save　　用电脑上网查资料，既方便又省时。
yòng diàn nǎo shàngwǎng chá zī liào jì fāngbiàn yòu shěng shí

⑪ 打字 dǎ zì type

⑫ 整 zhěng orderly

⑬ 齐 qí in good order　　整齐 zhěng qí even; neat

⑭ 改 gǎi correct　　电脑还可以帮我改错呢！
diàn nǎo hái kě yǐ bāng wǒ gǎi cuò ne

⑮ 社交 shè jiāo social contact　　社交网 shè jiāo wǎng Social Network Site

⑯ 信息 xìn xī information　　我上社交网跟朋友聊天儿、交流信息。
wǒ shàng shè jiāo wǎng gēn péng you liáo tiānr jiāo liú xìn xī

⑰ 浏（瀏）览 liú lǎn browse

⑱ 页（頁）yè page　　网页 wǎng yè webpage

⑲ 新闻 xīn wén news

⑳ 空儿 kòngr free time

㉑ 载（載）zài record　　下载 xià zài download

㉒ 难道 nán dào Could it be said that...　　难道没有电脑就不能学习、生活了吗？
nán dào méi yǒu diàn nǎo jiù bù néng xué xí shēng huó le ma

Grammar: "难道" can be used to form a rhetorical question.

㉓ 替 tì replace　　代替 dài tì replace　　电脑只能帮助我们学习，不能代替我们学习。
diàn nǎo zhǐ néngbāng zhù wǒ men xué xí bù néng dài tì wǒ men xué xí

㉔ 确实 què shí indeed　　电脑确实在生活中越来越重要了。
diàn nǎo què shí zài shēng huó zhōng yuè lái yuè zhòng yào le

㉕ 盯 dīng stare at

㉖ 视力 shì lì eyesight　　在电脑前坐太久，视力是会受影响。
zài diàn nǎo qián zuò tài jiǔ shì lì shì huì shòuyǐngxiǎng

㉗ 放心 fàng xīn rest assured

Grammar: "是" can be used to emphasize the previous statement.

1 用所给结构看图完成对话

结构：A: 我担心你每天都盯着电脑，眼睛会坏。

B: 在电脑前坐太久，视力是会受影响。

①

A: 这个汉语夏令营挺贵的。

B: ＿＿＿＿＿＿＿＿＿＿＿＿＿

②

A: 听说香港的自然风景很独特。

B: ＿＿＿＿＿＿＿＿＿＿＿＿＿

③

A: 我觉得汉字很难。我总是记不住。

B: ＿＿＿＿＿＿＿＿＿＿＿＿＿

④

A: 春节的节日食品很丰盛吧？

B: ＿＿＿＿＿＿＿＿＿＿＿＿＿

2 用所给结构及词语完成句子

结构：难道没有电脑就不能学习、生活了吗？

1) 难道电脑＿＿＿＿＿＿＿＿＿＿＿？（代替　学习）

2) 难道你在家里＿＿＿＿＿＿＿＿？（发表　意见）

3) 难道你从来都＿＿＿＿＿＿＿＿？（做过　义工）

4) 难道你＿＿＿＿＿＿＿＿＿＿＿？（忘了　生日）

5) 难道你＿＿＿＿＿＿＿＿＿＿＿？（零食　不利）

6) 难道你＿＿＿＿＿＿＿＿＿＿＿？（词汇量　增加）

3 用所给问题编对话

1) 你是什么时候开始用电脑的？你是什么时候有自己的电脑的？

2) 在学习和生活中，你经常用电脑做什么？

3) 你每天花多长时间用电脑？你主要用电脑学习还是娱乐？

4) 你觉得电脑在哪方面最有用？

5) 在汉语学习方面，电脑能为你做什么？

6) 电脑对你有什么不好的影响？

7) 对于刚有自己电脑的低年级同学，你有什么电脑使用方面的建议？你想提醒他们注意什么？

4 用所给结构及词语写句子

① 电脑确实在生活中越来越重要了。 → 生活水平　高

② 电脑只能帮助我们学习，不能代替我们学习。 → 家教　困难　做作业

③ 我担心你每天都盯着电脑，眼睛会坏。 → 不吃早餐　精力

课文 1 38

我看到你们年轻人一天到晚都对着电脑。你们用电脑做什么？

您可能不太清楚，电脑的用途可多了！不管在学习、生活还是娱乐方面，电脑都扮演着重要的角色。用电脑上网查资料，既方便又省时。用电脑打字、写文章，又快又整齐。电脑还可以帮我改错呢！

除了这些，你还用电脑做什么？

我用电脑收、发电邮，上社交网跟朋友聊天儿、交流信息。我有空儿时会浏览网页，看看新闻。我还喜欢在网上下载音乐、电影、游戏等。

听你这么说，难道没有电脑就不能学习、生活了吗？

也不是。电脑只能帮助我们学习，不能代替我们学习。但是，电脑确实在生活中越来越重要了。

我担心你每天都盯着电脑，眼睛会坏。

在电脑前坐太久，视力是会受影响。
您放心，我会提醒自己注意。

要求　和同学聊一聊自己常用电脑做什么。

- 打字、写文章
- 看电影、听音乐、玩儿游戏
- 收、发电邮
- 浏览网页
- 查资料
- 上社交网聊天儿
- 上社交网交流信息
- 在网上下载音乐、电影、游戏
- 在网上购物
- 在网上订车票、机票

例子：

同学1：我做作业时经常上网查资料，既方便又省时。

同学2：我每天都给朋友发电邮。

同学3：我从来都不看电视，我有空儿时会上网看新闻。

同学1：我常常用电脑打字、写文章。电脑还可以帮我改错呢！

......

你可以用

a) 我对体育特别感兴趣。我经常上网看体育比赛、体育新闻。

b) 我喜欢上网买东西。我在网上买过衣服、鞋、书等。网上买的东西比商店里的便宜得多。

c) 我在网上订过火车票和飞机票。上个星期我还在网上买了电影票。

d) 我现在很少去图书馆查资料。我想要的资料几乎都能在网上找到。

生词 2

1 随时 suí shí at any time　**2** 陪 péi accompany　**3** 伴 bàn accompany　陪伴 péi bàn accompany

4 身边 shēnbiān at or by one's side　我的"新朋友"随时陪伴在我身边，帮我做很多事情。
wǒ de xīn péng you suí shí péi bàn zài wǒ shēnbiān bāng wǒ zuò hěn duō shì qing

5 络（絡）luò hold something in place with a net　联络 lián luò contact　**6** 按 àn press

7 键（鍵）jiàn key (of a computer, piano, etc.)　如果想联络朋友，我只要按几个键就可以了。
rú guǒ xiǎng lián luò péng you wǒ zhǐ yào àn jǐ ge jiàn jiù kě yǐ le

8 发生 fā shēng happen　**9** 立刻 lì kè immediately　**10** 报道 bào dào report

11 忘记 wàng jì forget　**12** 照相 zhàoxiàng take a picture or photo

13 要是 yào shi if　要是……也…… yào shi ... yě ... if　要是我忘记带相机也没问题，它可以为我照相。
yào shi wǒ wàng jì dài xiàng jī yě méi wèn tí tā kě yǐ wèi wǒ zhàoxiàng

14 时刻 shí kè moment　**15** 摄（攝）shè shoot　摄像 shè xiàng make a video recording　难忘的时刻，它可以为我摄像。
nán wàng de shí kè tā kě yǐ wèi wǒ shè xiàng

16 松（鬆）sōng relax　放松 fàngsōng relax

17 播 bō spread　播放 bō fàng broadcast　我想放松一下的时候，可以用它播放音乐、电影。
wǒ xiǎngfàngsōng yí xià de shí hou kě yǐ yòng tā bō fàng yīn yuè diànyǐng

18 算数 suàn shù count　**19** 帮手 bāng shou helping hand　我需要算数的时候，它是我的好帮手。
wǒ xū yào suàn shù de shí hou tā shì wǒ de hǎo bāng shou

20 字典 zì diǎn dictionary　**21** 闹 nào noisy　闹钟 nào zhōng alarm clock　**22** 叫 jiào make

23 按时 àn shí on time　每天早上它又是闹钟，叫我按时起床。
měi tiān zǎo shang tā yòu shì nào zhōng jiào wǒ àn shí qǐ chuáng

24 肯 kěn agree　肯定 kěn dìng certainly　你肯定早就猜出我的"朋友"是谁了吧？
nǐ kěn dìng zǎo jiù cāi chū wǒ de péng you shì shéi le ba

25 智 zhì intelligence　智能 zhì néng intelligent　智能手机 zhì néngshǒu jī smart phone

26 即 jí even if　即使 jí shǐ even if　即使……也…… jí shǐ ... yě ... even if

27 依 yī rely on　**28** 赖（賴）lài rely on　依赖 yī lài rely on

即使这个"好朋友"什么事都会做，我也不应该太依赖它。
jí shǐ zhè ge hǎo péng you shén me shì dōu huì zuò wǒ yě bù yīng gāi tài yī lài tā

6 用所给结构及词语完成句子

结构：要是我忘记带相机也没问题，手机可以为我照相。

1) 要是我忘记朋友的电话号码 _____ 。
   （不用担心　手机）

2) 要是你明天没时间吃早饭 _____ 。
   （没问题　带）

3) 要是你不习惯用筷子 _____ 。
   （没关系　刀叉）

4) 在学习汉语的过程中，要是遇到困难 _____ 。
   （没关系　坚持下去）

7 小组活动

要求　在规定的时间里写出智能手机的功能。

智能手机的功能		可以用手机做的事
• 打电话	→	• 联络家人和朋友
•	→	•
•	→	•
•	→	•
•	→	•
•	→	•
•	→	•

8 用所给结构看图完成句子

A 结构：每天早上它又是闹钟，叫我按时起床。

营养师叫我……

足球队长叫我们……

B 结构：即使这个"好朋友"什么事都会做，我也不应该太依赖它。

即使电脑什么事都会做，……

即使明天下雪，……

9 听课文录音填空

1) 如果想 _____ 朋友，我只要按几个键就可以了。

2) 要是我想知道世界上发生了什么事情，它可以立刻 _____ 新闻。

3) 要是我 _____ 带相机也没问题，它可以为我照相。

4) 难忘的时刻，它可以为我 _____。

5) 我想放松一下的时候，可以用它 _____ 音乐、电影。

6) 我需要 _____ 的时候，它是我的好帮手。

7) 我遇到生词的时候，它可以帮我查 _____、翻译。

8) 每天早上它又是 _____ ，叫我按时起床。

我最近交了一个"新朋友"。它随时(suí shí)陪伴(péi bàn)在我身边(shēn biān)，帮我做很多事情。

如果想联络(lián luò)朋友，我只要按(àn)几个键(jiàn)就可以了。如果想查电邮，我只要连上无线网就行了。要是(yào shi)我想知道世界上发生(fā shēng)了什么事情，它可以立刻报道(lì kè bào dào)新闻。要是我忘记(wàng jì)带相机也没问题，它可以为我照相(zhào xiàng)。难忘的时刻(shí kè)，它可以为我摄像(shè xiàng)。我想放松(fàng sōng)一下的时候，可以用它播放(bō fàng)音乐、电影。我觉得无聊的时候，可以用它玩儿游戏。我需要算数(suàn shù)的时候，它是我的好帮手(bāng shou)。我遇到生词的时候，它可以帮我查字典(zì diǎn)、翻译。每天早上它又是闹钟(nào zhōng)，叫(jiào)我按时(àn shí)起床。

听到这里，你肯定(kěn dìng)早就猜出我的"朋友"是谁了吧？它就是我的智能手机(zhì néng shǒu jī)。不用提醒我也知道，即使(jí shǐ)这个"好朋友"什么事都会做，我也(yě)不应该太依赖(yī lài)它。

10 小组活动

要求 在规定的时间里写出家里的家具和电器。

① 客厅
家具：

电器：

② 厨房
家具：

电器：

③ 卧室
家具：

电器：

④ 书房
家具：

电器：

11 小组讨论

要求 比较智能手机和平板电脑在功能上的异同。
^{yì tóng}

例子：

同学1：智能手机可以照相，
^{píng bǎn}
平板电脑也可以照相。

同学2：……

功能	智能手机	平板电脑
照相	✓	✓

情景1　你想让爸爸给你买一台新电脑。

例子:

你: 爸爸，我觉得我的电脑太慢了。您能不能给我买一台新电脑?

爸爸: ……

你: 您能不能给我买一台最新款的电脑?

爸爸: ……

你: 您能不能给我买一台好一点儿的电脑?

爸爸: ……

你: 新电脑算是我今年的生日礼物，可以吗?

爸爸: ……

你: 我们明天去买，行吗? 我现在的电脑太慢了，生活和学习都很不方便。

爸爸: ……

你: 那您什么时候给我买?

爸爸: ……

你: 您这个周末就给我买，可以吗?

爸爸: ……

情景2　妈妈问你想要什么生日礼物。你想要一部新手机。

例子:

妈妈: 下个星期六是你的生日。你想要什么生日礼物?

你: ……

妈妈: 你想要什么样的手机?

你: ……

妈妈: 那种智能手机很贵吧? 大概多少钱?

你: ……

妈妈: 你为什么喜欢那个牌子的手机?

你: ……

妈妈: 学生不需要买那么贵、功能那么多的手机。你觉得呢?

你: ……

妈妈: 那你出一半钱，我出一半钱，怎么样?

你: ……

妈妈: 我们明天先去商场看看，好吗?

你: ……

13 小组讨论

要求 讨论一下在日常生活中谁是你的好朋友。

例子:

同学 1: 智能手机是我的"好朋友"。它每天都为我做很多事情。早上

它叫我起床。我学习的时候用它查资料、查字典、翻译。我想放松一下的时候用它播放音乐、电影。我还喜欢用它聊天儿、照相。我现在已经离不开它了。

── 你可以用 ──

a) 姐姐是我的好朋友。我什么事都跟她说。我们互相关心、互相爱护、互相支持。

b) 哥哥是我的好朋友。我们既是兄弟又是朋友。如果有难过的事,我一定会先告诉他。如果有开心的事,我也愿意跟他分享。

c) 电脑是我的"好朋友"。我用它写文章、查资料、上网聊天儿、看电影、听音乐。

同学 2: 我的狗是我的好朋友。它每天都陪我看电视,陪我跑步,跟我一起玩。如果有不开心的事,我会跟它说,它会陪在我身边。

同学 3: 妈妈是我的好朋友。虽然她工作十分繁忙,但是她非常关心、爱护我。如果我遇到什么麻烦,她会及时地给我帮助。

......

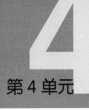

第十一课　休闲娱乐

❶ rì zi 日子 day　❷ hǎo xiàng 好像 seem　❸ bào zhǐ 报纸 newspaper　❹ chū kǒu 出口 exit

❺ pài 派 dispatch　pài fā 派发 dispatch　❻ yǒu 有 one; some　dì tiě zhàn chū kǒu yǒu rén pài fā miǎn fèi bào zhǐ 地铁站出口有人派发免费报纸。

❼ shí shì 时事 current affairs　❽ zhèng zhì 政治 politics　❾ màn 漫 free; casual　màn huà 漫画 cartoon

❿ lán 栏（欄）column　zhuān lán 专栏 (special) column　⓫ dú zhě 读者 reader　⓬ xié 携（攜）bring along　xié dài 携带 bring along

⓭ quánmiàn 全面 comprehensive　⓮ biāo 标（標）mark; sign　biāo tí 标题 title; headline

⓯ zǐ 仔 tiny; trivial　⓰ xì 细（細）careful　zǐ xì 仔细 careful　⓱ piān zhāng 篇章 articles

⓲ fǎn 反 reverse　fǎn fù 反复（復）repeatedly

yǒu xiē nèi róng wǒ zhǐ kàn dà biāo tí　yǒu xiē huì zǐ xì dú　hái yǒu xiē piān zhāng huì fǎn fù yuè dú
有些内容我只看大标题，有些会仔细读，还有些篇章会反复阅读。

▲
Grammar: Pattern: 有些 ..., 有些 ..., 还有些 ...

⓳ guǎng gào 广告 advertisement　⓴ shōu fèi 收费 collect fees; charge

㉑ xiāng bǐ 相比 compare with　gēn shōu fèi bào zhǐ xiāng bǐ　miǎn fèi bào zhǐ shang de guǎng gào yǒu diǎnr duō 跟收费报纸相比，免费报纸上的广告有点儿多。

▲
Grammar: Pattern: 跟 ... 相比

㉒ wéi 唯 only　wéi yī 唯一 only　㉓ kuò 扩（擴）broaden　kuò dà 扩大 broaden　㉔ shì yě 视野 field of vision

㉕ zēngzhǎng 增长 increase　㉖ sù 速 speed　sù dù 速度 speed

kàn bào bù jǐn kě yǐ bāng wǒ kuò dà shì yě　zēngzhǎng zhī shi　ér qiě kě yǐ tí gāo wǒ de yuè dú sù dù
看报不仅可以帮我扩大视野、增长知识，而且可以提高我的阅读速度。

㉗ jiǎn bào 剪报 cut out (useful information) from newspapers

㉘ shōu jí 收集 collect　wǒ yí kàn dào hǎo wén zhāng jiù bǎ tā jiǎn xia lai　shōu jí qi lai 我一看到好文章就把它剪下来，收集起来。

1 用所给结构及词语看图完成句子

结构：地铁站出口<u>有</u>人<u>派发</u>免费报纸。

①  跑步 公园里每天早晨都……

②  大吃大喝 春节期间总是……

③  得 这次汉语考试……

④  考上 我们学校每年都……

2 用所给结构完成句子

结构：<u>跟</u>收费报纸<u>相比</u>，免费报纸上的广告有点儿多。

① 跟坐飞机相比，坐火车……

② 跟数学老师相比，我们的汉语老师……

③ 跟西餐相比，中餐……

④ 跟台北相比，上海……

⑤ 跟电脑相比，手机……

⑥ 跟英语相比，我认为……

3 小组活动

要求 列出报纸为读者提供的信息。

• 时事   • _____   • _____

• _____   • _____   • _____

• _____   • _____   • _____

• _____   • _____   • _____

4 采访同学，向全班汇报

要求 调查你的同学对什么感兴趣，然后向全班汇报。

例子：

我问了十个同学。八个同学对体育运动感兴趣。他们几乎每天都做运动。两个男生对网络游戏非常感兴趣。他们用自己的 _{líng yòng qián} 零用钱买了很多游戏。……

		人数			人数
1)	流行音乐		10)	体育明星	
2)	古典音乐		11)	体育运动	正下
3)	时尚		12)	街舞 (jiē wǔ)	
4)	国际象棋		13)	动漫 (dòng màn)	
5)	手机游戏		14)	摄影 (shè yǐng)	
6)	网络游戏 (wǎng luò)	丁	15)	旅行	
7)	社交网		16)	做义工	
8)	电视剧 (diàn shì jù)		17)	阅读	
9)	电影明星 (míng xīng)		18)	其他	

课文1

强强，你这些日子好像每天都看免费报纸。

对。有一天，地铁站出口有人派发免费报纸。我接过来一读，发现报上有很多不错的内容。

你一般看哪些内容？

我比较关心时事、政治，还会浏览体育、娱乐、时尚方面的新闻。报纸上的漫画和旅游专栏也很有意思。

免费报纸为什么受欢迎？

免费报纸方便读者阅读、携带，内容也非常全面。有些内容我只看大标题，有些会仔细读，还有些篇章会反复阅读。但是，跟收费报纸相比，免费报纸上的广告有点儿多。这是我唯一不喜欢的地方。

你觉得看报对你有哪些帮助？

看报不仅可以帮我扩大视野、增长知识，而且可以提高我的阅读速度。我现在还养成了剪报的习惯。我一看到好文章就把它剪下来，收集起来。我建议你下次坐地铁时也看看免费报纸。

1) 你看报纸吗? 你一般看什么报纸? 你对哪方面的内容感兴趣?

2) 你看中文报纸吗? 看哪份报纸? 你看得懂吗?

3) 你住的地方有免费报纸吗? 要是有免费报纸, 你还会花钱买报纸吗?

4) 看报对你有哪些帮助?

5) 如果在报上看到好文章, 你会把它剪下来, 收集起来吗?

6) 你喜欢看杂志吗? 喜欢看什么杂志? 你对杂志里哪方面的内容感兴趣?

7) 你喜欢看小说吗? 你看过中文小说吗? 请介绍一本你看过的中文小说。你会推荐_{tuī jiàn}朋友看这本小说吗? 为什么?

8) 你看网上的文章、小说吗? 介绍一下你最近看的网上的文章或者小说。

你可以用

a) 我每天都看娱乐新闻, 看有没有新电影、新歌等。

b) 我最关心美食方面的内容, 因为我爱做饭, 喜欢尝试做新的菜式。

c) 我的中文老师要求我们一看到好文章就剪下来, 收集起来。

d) 我喜欢看小说, 但我觉得中文小说有点儿难。我看一本中文小说大概要花一个月。

生词 2

① 侨（僑）foreign national 华侨 overseas Chinese

② 我每个暑假都去北京。我一方面是想多陪陪爷爷奶奶，另一方面是想学汉语。

> ▲ **Grammar: a) Pattern:** 一方面 ..., 另一方面 ...
> **b) This pattern means "on the one hand..., on the other hand..."**.

③ 拳 fist 太极拳 taijiquan **④** 剑（劍）sword

⑤ 产（產）produce 产生 produce; generate 我对太极拳和太极剑产生了极大的兴趣。

⑥ 晨 morning 早晨 (early) morning **⑦** 一下子 all at once

⑧ 群 a measure word (used for group, herd, swarm, flock); crowd 人群 crowd **⑨** 迷 be fascinated by

⑩ 让 a particle 我一下子就让一群打太极拳的人迷住了。

> ▲ **Grammar: a)** "让" can be used in a passive sentence.
> **b) Sentence Pattern: Noun + 让 + Doer + Verb + Other Elements**

⑪ 老年人 old people **⑫** 青年 youth 青年人 young people

⑬ 外国 foreign country 外国人 foreigner **⑭** 傅 teacher 师傅 master

⑮ 跟 from; to 他们都在跟一位师傅学太极拳。

> ▲ **Grammar: Pattern:** 跟 ... 学 ...

⑯ 经过 after; through **⑰** 勤 diligent 勤学苦练 study diligently and train hard

⑱ 长进 improve 大有长进 improved a lot 经过勤学苦练，我的太极拳大有长进。

⑲ 录（錄）record 录像 video **⑳** 传 transmit 上传 upload

㉑ 余 sparetime 业余 sparetime **㉒** 强身 keep fit by physical exercise

㉓ 心情 mood 练太极拳和太极剑不仅可以强身健体，还可以放松心情。

6 用所给结构及词语完成句子

结构：最近几年，我每个暑假都去北京。我一方面是想多陪陪爷爷奶奶，另一方面是想学汉语。

①
要是想有健康的身体，……

均衡　饮食　适量　运动

②
通过养宠物，我……

培养责任心　学会管理时间

③
经过一个月的汉语短训班，我……

提高　了解

④
通过读报纸，他……

扩大　提高

7 小组活动

要求 写出你们学校的课外活动。

① **体育运动**
- 游泳
-
-
-
-
-
-
-
-

② **音乐**
- 唱歌
-
-
-
-
-
-
-
-

③ **其他**
- 下棋
-
-
-
-
-

8 小组讨论

要求 说一说今年你在哪些方面有长进。

例子:

学生 1: 我从小就学钢琴。今年妈妈为我请了一位新钢琴老师。她教得好极了,我学得也很努力。经过勤学苦练,我钢琴弹得比以前好多了,还考过了八级钢琴考试。

学生 2: 这个学期,我的汉语口语提高了不少。我的发音比以前准多了。

学生 3: 我篮球球技有了很大的长进。上个月我加入(jiā rù)了学校的篮球队。

……

9 听课文录音,回答问题

1) 她是在哪里长大的?

2) 她为什么每年暑假都去北京?

3) 在北京期间,她对什么产生了兴趣?

4) 在公园里,她让什么吸引住了?

5) 她每天早上都去公园做什么?

6) 她在博客上介绍什么?

7) 她在网上分享什么照片?

8) 她认为练太极拳和太极剑有什么好处?

我是在美国出生、长大的华侨。最近几年，我每个暑假都去北京。我一方面是想多陪陪爷爷奶奶，另一方面是想学汉语。在北京期间，我对太极拳和太极剑产生了极大的兴趣。

三年前的一个早晨，爷爷带我去公园散步。我一下子就让一群打太极拳的人迷住了。人群中有老年人、青年人，还有外国人。他们都在跟一位师傅学太极拳。后来，我每天早上都去那里学太极拳。我还跟那位师傅学了太极剑。

回到美国后我坚持打太极拳、练太极剑。经过勤学苦练，我的太极拳大有长进。我开了一个博客，介绍我学太极拳的过程和体会。我还把我拍的北京人晨练的照片和录像上传到网上跟朋友分享。

我觉得练太极拳和太极剑是很好的业余爱好，不仅可以强身健体，还可以放松心情。

10 小组活动

要求 新科技影响着青少年的娱乐生活。上网查一查，在没有电脑、电视的年代，青少年的业余生活什么样？他们玩儿什么游戏？

以前青少年玩的游戏
• 下棋　　　•　　　• 　•　　　•　　　• 　•　　　•　　　• 　•　　　•　　　•

11 模仿例子，编对话

例子：

你：你的兴趣爱好是什么？

同学：我从小就喜欢画画儿。水彩画、
　　　油画和国画，我都画得不错。

你：你大学打算学美术专业吗？

同学：对。我以后想当画家。

你：你父母支持你这样做吗？

同学：开始时他们不太支持。后来……。
　　　你有什么兴趣爱好？

你：……

12 用所给结构及词语看图完成句子

结构：我一下子就让一群打太极拳的人<u>迷住了</u>。

①  表哥 借　她的自行车……

②  弟弟 吃　妈妈做的蛋糕……

③ 堂弟 玩　那辆新买的玩具车……

④  别人 买　她想买的那条连衣裙……

13 用所给词语写句子

① 最近几年　游学
→

② 对……产生兴趣　中国文化
→

③ 通过　了解
→

④ 经过　勤学苦练
→

⑤ 写博客　分享
→

⑥ 长进　体会
→

14 口头报告

要求 介绍你的新爱好。

例子：

我最近爱上了摄影。

去年生日，爸爸妈妈送了我一部数码相机。去年暑假，我们一家人游览了中国的好几个城市。我拍了几百张照片，其中有一些非常漂亮。从此（cóng cǐ），无论去哪儿旅行，我都负责（fù zé）拍照。我会把拍好的照片上传到社交网跟朋友们分享。我还会把其中特别漂亮的照片洗出来，摆在家里。上个月，我拍的风景照在市里的摄影比赛拿到了青少年组冠军。我高兴得不得了。

今年暑假，我们一家人要去张（zhāng）家界（jiā jiè）旅游。我打算……

你可以用

a) 我最近爱上了骑马。今年的学校活动周，我报名骑马。虽然这是我第一次骑马，但是我非常喜欢骑在马上的感觉。

b) 最近，我喜欢上了围棋（wéi qí）。今年春节，舅舅教我怎么下围棋。回到家后，妈妈给我买了一套围棋，让我练习。我还参加了围棋俱（jù）乐部（lè bù）。

c) 我现在最喜欢弹吉他。我跟几个同学组了一个乐队。放学后我们经常一起练习。

张家界

凤凰（fènghuáng）

内蒙古（nèi měng gǔ）

133

第十二课 关爱社会

生词 1 45

1 社区 shè qū community　　**2** 经验 jīng yàn experience　　**3** 段 duàn a measure word (used of a section)

4 老人院 lǎo rén yuàn old people's home　老人院 = 养老院 lǎo rén yuàn = yǎng lǎo yuàn　　**5** 行动 xíng dòng move about　　**6** 不便 bú biàn inconvenient

7 自理 zì lǐ take care of oneself　老人院的老人有些行动不便，有些不能自理。 lǎo rén yuàn de lǎo rén yǒu xiē xíng dòng bú biàn, yǒu xiē bù néng zì lǐ

8 整 zhěng put in order　整理 zhěng lǐ put in order　　**9** 衣物 yī wù clothing and other articles of daily use

10 麻将（將）má jiàng mahjong　打麻将 dǎ má jiàng play mahjong　　**11** 推 tuī push　　**12** 轮椅 lún yǐ wheelchair

13 晒（曬）shài (of the sun) shine upon　晒太阳 shài tài yáng sun bathe　　**14** 洁（潔）jié clean　清洁 qīng jié clean

15 娇（嬌）jiāo pamper　娇生惯养 jiāo shēng guàn yǎng be pampered and spoiled　　**16** 活儿 huór work　干活儿 gàn huór do manual labour

17 何 hé what; where; who

我在家比较娇生惯养，不会干活儿，所以开始时不知道应该从何做起。 wǒ zài jiā bǐ jiào jiāo shēng guàn yǎng, bú huì gàn huór, suǒ yǐ kāi shǐ shí bù zhī dào yīng gāi cóng hé zuò qǐ

18 成 chéng achievement

19 就 jiù complete　成就 chéng jiù accomplishment　成就感 chéng jiù gǎn sense of accomplishment　我非常有成就感。 wǒ fēi cháng yǒu chéng jiù gǎn

20 感受 gǎn shòu feel　　**21** 观察 guān chá observe　　**22** 孤 gū lonely　孤独 gū dú lonely　　**23** 关爱 guān ài love and care

24 益 yì benefit　公益 gōng yì public welfare　我们青年人应该多做公益活动。 wǒ men qīng nián rén yīng gāi duō zuò gōng yì huó dòng　　**25** 今后 jīn hòu from now on

26 意义 yì yì meaning　做义工是一件很有意义的事。 zuò yì gōng shì yí jiàn hěn yǒu yì yì de shì　　**27** 体验 tǐ yàn learn through experience

28 同时 tóng shí at the same time　　**29** 会 huì society　社会 shè huì society　　**30** 贡（貢）gòng tribute

31 献（獻）xiàn offer　贡献 gòng xiàn contribution　做义工让我在体验生活的同时也为社会做了贡献。 zuò yì gōng ràng wǒ zài tǐ yàn shēng huó de tóng shí yě wèi shè huì zuò le gòng xiàn

▲
Grammar: Pattern: 为 ... 做贡献

1 用所给结构及词语看图完成句子

结构：做义工让我在体验生活的同时也为社会做了贡献。

①

学中文　了解中国历史
→ 在中国旅行让我……

②

培养爱心　提高时间管理能力
→ 养宠物让我……

③

了解时事　提高汉语水平
→ 看中文报纸让他……

2 小组活动

要求　写出你可以为老人院和老人们做的事。

为老人院做的事	
• 擦地	•
•	•
•	•

为老人们做的事	
• 整理衣物	•
•	•
•	•

3 用所给结构完成句子

①
老人院的老人有些行动不便，有些不能自理。

我们学校的学生，有些……

②
我在家比较娇生惯养，不会干活儿。

我在学校……

③
通过做义工我体会到了帮助别人的快乐。

通过参加汉语强化班，我体会到……

④
在做义工的过程中，我观察到这些老人都挺孤独的。

在学习汉语的过程中，我发现……

4 用所给问题编对话

1) 你在家娇生惯养吗？你在家一般干什么家务？

2) 你以前做过义工吗？你第一次做义工是什么时候？在哪儿？在做义工的过程中，你有哪些体会、感受？

3) 你明年想做义工吗？你想去哪里做义工？你想做什么？每周想做多长时间？

课文1 🎧46

你有做义工或者社区服务的经验吗？
shè qū jīng yàn

最近一段时间，我在一家老人院做义工。
duàn lǎo rén yuàn

你主要做什么工作？

那里的老人有些行动不便，有些不能
xíng dòng bú biàn
自理。我帮他们整理衣物，陪他们
zì lǐ zhěng lǐ yī wù
打麻将，给他们读报，还推着坐轮椅
má jiàng tuī lún yǐ
的老人出去晒太阳。除此之外，我还
shài tài yáng
为养老院擦地，做一些清洁工作。
yǎng lǎo yuàn qīng jié

在做义工的过程中，你遇到了哪些困难？

我在家比较娇生惯养，不会干活儿，所以开始时不知道应
jiāo shēng guàn yǎng gàn huór
该从何做起。后来我慢慢学习照顾他们，非常有成就感。
hé chéng jiù gǎn

在做义工的过程中，你有哪些体会、感受？
gǎn shòu

通过做义工我体会到了帮助别人的快乐。另外，在
做义工的过程中，我观察到这些老人都挺孤独的。
guān chá gū dú
我们青年人应该多关爱他们，应该多做公益活动。
guān ài gōng yì

你今后还会继续做义工吗？
jīn hòu

我会坚持做下去。做义工是一件很有意义的事，
yì yì
让我在体验生活的同时也为社会做了贡献。
tǐ yàn tóng shí shè huì gòng xiàn

情景 你想去老人院做义工。你去见老人院的院长。院长可能问以下问题。

1) 你是怎么知道我们需要义工的？

2) 你为什么想来老人院做义工？

3) 你写申请信了吗？我们需要两位了解你的人为你写推荐信（tuī jiàn xìn）。你打算请谁写推荐信？

4) 你以前做过义工吗？你有社区服务的经验吗？

5) 你以前组织（zǔ zhī）过什么活动？你能为老人院做什么？

6) 你一周想做几次义工？一次想做几个小时？

例子：

你：高院长，您早！非常感谢您抽时间见我。

院长：很高兴你想来我们养老院做义工。你是怎么知道我们需要义工的？

……

你可以用

a) 我是在免费报纸上看到你们招（zhao）义工的广告的。

b) 通过做义工，我希望学会管理时间，培养责任心和耐心。

c) 我写了申请，昨天已经发给您了。我还印（yìn）了一份带过来。

d) 我去年跟二十个同学一起在一家老人院做过义工。我们在那里做了一个星期义工。

e) 我是学校慈善小组的组长。我组织过学校的义卖（yì mài）活动。

生词 2

❶ huán bǎo 环保 environmental protection **❷** chénggōng 成功 successful **❸** pèi 配 mix pèi hé 配合 coordinate

❹ dàng tiān 当天 the same day **❺** sù shí 素食 vegetarian diet cān tīng gēn wǒ men pèi hé dàng tiān zhǐ mài sù shí 餐厅跟我们配合，当天只卖素食。

❻ gāng hǎo 刚好 happen to **❼** gǎn shàng 赶上 come across

❽ dì qiú 地球 the earth zhōu èr gāng hǎo gǎn shàng dì qiú yì xiǎo shí rì 周二刚好赶上"地球一小时"日。

❾ guān 关 turn off; close **❿** diào 掉 ...away

⓫ diàn dēng 电灯 electric light shàng wǔ jiǔ diǎn dào shí diǎn wǒ men qǐng xué xiào guān diào le suǒ yǒu de diàn dēng hé kōng tiáo 上午九点到十点我们请学校关掉了所有的电灯和空调。

⓬ jié 节 save jié néng 节能 save energy **⓭** yuē 约 economical jié yuē 节约 save

⓮ sù 塑 plastics sù liào 塑料 plastics **⓯** yí cì xìng 一次性 only once **⓰** sháo 勺 spoon sháo zi 勺子 spoon

⓱ cān jù 餐具 tableware cān tīng bù tí gōng yí cì xìng de sù liào dāo chā zi sháo zi děng cān jù 餐厅不提供一次性的塑料刀、叉子、勺子等餐具。

⓲ huí shōu 回收 recycle zhōu sì hé zhōu wǔ shì lā jī fēn lèi huí shōu rì 周四和周五是垃圾分类回收日。

⓳ guàn 罐 tin **⓴** fèi 废（廢）waste fèi zhǐ 废纸 waste paper **㉑** dài 袋 bag **㉒** bō li 玻璃 glass

㉓ jiāng 将 a particle tóng xué men yào jiāng suǒ yǒu yǐn liào guàn fèi zhǐ sù liào dài bō li píng děng fēn lèi fàng jìn huí shōu xiāng 同学们要将所有饮料罐、废纸、塑料袋、玻璃瓶等分类放进回收箱。

▲ **Grammar: Sentence Pattern: Subject + 将 + Object + Verb + Other Elements**

㉔ mǎn 满（滿）satisfied mǎn yì 满意 satisfied zuì ràng wǒ men mǎn yì de shì xué xiào de lā jī bǐ yǐ qián shǎo le 最让我们满意的是学校的垃圾比以前少了。

▲ **Grammar: Sentence Pattern: 最让 + Someone + Adjective + 的是 + ...**

㉕ suí shǒu 随手 conveniently **㉖** jǔ 举（舉）initiate jǔ bàn 举办 hold; run **㉗** zài yòng 再用 reuse

wǒ men yīng gāi jīng cháng jǔ bàn huán bǎo huó dòng ràng tóng xué men màn màn yǎng chéng jié yuē zài yòng huí shōu de hǎo xí guàn
我们应该经常举办环保活动，让同学们慢慢养成节约、再用、回收的好习惯。

6 用所给结构及词语写句子

结构：同学们要将所有饮料罐、废纸、塑料袋、玻璃瓶等分类放进回收箱。

① 体会　写　博客

② 录像　上传　网上

③ 作文　贴　墙上

④ 好文章　剪　收集

7 用所给结构及词语看图完成句子

结构：一周下来，最让我们满意的是学校的垃圾比以前少了。

①

夏令营期间……

②

春节期间……

③

一个学期下来，……

④

高中快毕业了，……

8 小组活动

要求 写出你们学校在环保方面做得不好的地方。

学校餐厅

• 提供一次性餐具，比如塑料刀、叉子和勺子
•
•
•
•
•

学生

• 不随手关灯
•
•
•
•
•
•

9 听课文录音，回答问题

1) "环保周"活动办得怎么样？

2) 上周一餐厅只卖什么食品？

3) 上周二是什么日子？

4) 上周二学校为什么要关掉电灯和空调？

5) 平时餐厅提供什么餐具？

6) 上周四和周五学生要做什么？

7) 现在很多学生会自备什么上学？

8) 为什么应该经常举办环保活动？

上个星期我们在全校组织了一个"环保周"活动。这个活动办得非常成功。

周一是"绿色星期一"——无肉日。餐厅跟我们配合，当天只卖素食。周二刚好赶上"地球一小时"日。上午九点到十点我们请学校关掉了所有的电灯和空调，让同学们体验没有电的感受，认识节能环保的重要性。周三是无塑料日。餐厅不提供一次性的塑料刀、叉子、勺子等餐具。周四和周五是垃圾分类回收日。同学们要将所有饮料罐、废纸、塑料袋、玻璃瓶等分类放进回收箱。

一周下来，最让我们满意的是学校的垃圾比以前少了，自备水瓶的同学比以前多了，随手关灯、关空调的同学也比以前多了。我们应该经常举办环保活动，让同学们慢慢养成节约、再用、回收的好习惯。

10 角色扮演

情景1 你建议班主任把每个月的第一个星期定为"环保周"。

例子:

你: 我建议把每个月的第一个星期定为我们班的"环保周"。

老师: 听起来不错。你有什么想法?

你: 星期一我们可以……

老师: 星期二呢?

你: ……

老师: 星期三呢?

你: ……

老师: 很好。星期四呢?

你: ……

老师: 那星期五呢?

你: ……

老师: 我支持你。我应该怎么配合你?

你: ……

老师: 没问题。那我们从下个月开始组织"环保周"活动吧!

你: ……

情景2 经过几次"环保周"活动,同学们养成了一些好习惯。

例子:

同学1: 我觉得我们班"环保周"活动的效果不错。

同学2: 对。我现在离开教室以前会先把灯、电扇和空调都关掉。

同学1: ……

同学2: 我现在自己带玻璃饭盒、叉子和勺子,不用学校餐厅提供的一次性餐具了。

同学1: ……

同学2: 我每天都自备水瓶上学,很少买瓶装水了。

同学1: ……

同学2: 我还在我家的厨房里放了几个回收箱,回收废纸、玻璃、塑料等。

同学1: ……

同学2: 为了少用塑料袋,现在我去超市买东西时都会自备购物袋。

同学1: ……

结构：周二刚好赶上"地球一小时"日。上午九点到十点我们请学
校关掉了所有的电灯和空调，让同学们体验没有电的感受。

① 今天刚好赶上"绿色星期
一"——无肉日。学校餐
厅……

② 今年妈妈的生日刚好赶上
母亲节。我和爸爸……

③ 你这次来香港刚好赶上过
春节。我建议……

④ 我昨天去逛街刚好赶上商
场大减价。我……

12 小组活动

要求 环保要从身边的小事做起。小组讨论怎么才能把环保工作做得更好。

节约用水的方法	节约用电的方法	可以再用的东西	可以回收的东西
• 洗手时不要一 直开着水龙头 *shuǐ lóng tóu*	• 随手关灯	• 玻璃瓶	• 废纸
•	•	•	•
•	•	•	•
•	•	•	•
•	•	•	•

13 口头报告

要求 自我反^{fǎn xǐng}省，争取在环保方面做得更好。

例了：

　　环保是每个人的责任，应该从我做起，从身边的小事做起。

　　从今天开始，离开房间时我会随手关灯、关空调、关电扇。我会注意不用或者少用一次性物品：购物时自备购物袋，少用塑料袋；外出时自备水瓶，不买瓶装水。^{rēng}扔垃圾前我会先把垃圾分类，将废纸、塑料袋、塑料瓶、玻璃瓶等扔进回收箱。

　　相信我会慢慢养成节约、再用、回收的好习惯，在环保方面做得更好。

你可以用

a) 以前我在环保方面做得不太好，从现在开始我要更加注意保护环境。

b) 开空调的时候，我会关上房间的门和^{chuāng hu}窗户。我不会把空调^{wēn dù}温度开得太低。

c) 我会把旧衣服放进回收箱。

d) 我会节约用纸。我还会把看过的报纸、用过的练习本放进回收箱。

e) 我会将厨房垃圾和可以回收的物品分类。

回收

玻璃瓶　　铝^{lǚ guàn}罐　　废纸　　塑料